Le Club des Cinq
et le secret du vieux puits

Enid Blyton™

Le Club des Cinq et le secret du vieux puits

Illustrations
Frédéric Rébéna

hachette
JEUNESSE

Claude

11 ans.
Leur cousine. Avec son fidèle chien
Dagobert, elle est de toutes
les aventures.
En vrai garçon manqué,
elle est imbattable dans tous
les sports et elle ne pleure
jamais… ou presque !

François

12 ans
L'aîné des enfants,
le plus raisonnable aussi.
Grâce à son redoutable sens
de l'orientation, il peut explorer
n'importe quel souterrain sans jamais se perdre !

Mick

11 ans comme Claude.
C'est un casse-cou (un gourmand aussi !)
qui n'hésite jamais avant de se lancer
dans les plus périlleuses aventures…

Annie

10 ans
La plus jeune, un peu gaffeuse,
un peu froussarde !
Mais elle finit toujours par
participer aux enquêtes,
même quand il faut affronter
de dangereux malfaiteurs…

Dagobert

Sans lui, le Club des Cinq ne serait rien !
C'est un compagnon hors pair, qui peut monter
la garde et effrayer les bandits.
Mais surtout c'est le plus attachant des chiens…

L'ÉDITION ORIGINALE DE CET OUVRAGE
A PARU EN LANGUE ANGLAISE
CHEZ HODDER & STOUGHTON, LONDRES,
SOUS LE TITRE :

FIVE HAVE A MYSTERY TO SOLVE

© Enid Blyton Ltd
© Hachette Livre, 1980, 1995, 2001, 2010 pour la présente édition.
Traduction revue par Rosalind Elland-Goldsmith

chapitre 1

Vacances de Pâques

— Les vacances : le mot le plus merveilleux du monde ! s'écrie Mick en plongeant sa cuiller dans un pot de confiture. Passe-moi une tartine, Annie... Maman, on n'a pas fait trop de bruit, hier, en courant dans la maison ?

— Non, assure sa mère.

Pour permettre à François, Mick et Annie de passer les vacances de Pâques avec leur cousine Claude, Mme Gauthier a loué une villa près de Kernach.

— Tout ce qui m'inquiète vraiment, ce sont les provisions. Avec vous, on dirait qu'il n'y en a jamais assez... À propos, quelqu'un sait ce qu'est devenu le gros rôti qui se trouvait dans le frigidaire ?

— Le rôti... le rôti... réfléchit François en fronçant les sourcils.

Annie ne peut s'empêcher de pouffer.

— Hier soir, maman, reprend François, comme tu devais sortir, tu nous as dit de manger ce qu'on voudrait pour le dîner. On a choisi le rôti.

— Et vous avez tout englouti ? questionne Mme Gauthier, stupéfaite. Il faisait près de deux kilos, quand même !

— Claude était là aussi ! précise Mick.

— Et Dagobert est venu avec elle, renchérit Annie. Il adore la viande saignante...

— Je cuisine pour un chien, moi, maintenant ! s'exclame sa mère, indignée.

— D'ailleurs, enchaîne Mick, on aimerait passer la journée à la *Villa des Mouettes*, avec Claude et Dago. Si tu n'as pas besoin de nous, maman...

— Justement, si, affirme sa mère. Mme Pichon vient me rendre visite cet après-midi. Je crois qu'elle veut vous demander quelque chose.

Les trois enfants sont déçus.

— Mais, maman ! proteste Mick d'un ton suppliant. Pour le premier jour de vacances, on ne va pas rester enfermés à la maison... Par ce beau soleil, en plus !

— On sera rentrés pour le goûter, promet François qui lance sous la table un coup de pied

8

à son frère. Mme Pichon est très gentille : quand on était petits, elle nous apportait toujours des bonbons.

— Et elle n'oublie jamais nos anniversaires, ajoute Annie. On pourrait inviter Claude... et Dago ?

— D'accord, accepte sa mère. Appelle-la... Et soyez présentables pour quatre heures !

— Promis, acquiesce François.

— Oncle Henri sera content d'être débarrassé de Claude, même pour un seul repas, remarque Mick, avec un sourire ironique.

— La pauvre ! répond Mme Gauthier en riant. Elle est pourtant gentille. Dommage qu'elle ait hérité du mauvais caractère de son père !

François et Mick racontent avec humour certains incidents survenus entre Claude et son père. Quelques instants plus tard, Annie raccroche le téléphone dans l'entrée et revient dans la salle à manger.

— Tu as eu Claude ? demande sa mère.

— Oui. Elle est ravie. Oncle Henri a perdu certains de ses documents et il est d'une humeur massacrante. Il paraît qu'il met la maison sens dessus dessous. Il a même retourné la poubelle pour vérifier que les papiers ne s'y trouvaient pas !

— À ce point ? s'étonne Mme Gauthier. Henri est vraiment incroyable... Un savant si intel-

9

ligent, qui se souvient de chaque livre qu'il a lu, de chaque note qu'il a écrite... mais qui passe son temps à égarer ses papiers !

— Et il perd aussi facilement son sang-froid, observe Mick.

— Claude est vraiment contente de venir ici, reprend Annie. Elle a pris son vélo. Elle est déjà en route avec Dago.

— Elle arrive bientôt, alors ! comprend Mme Gauthier. Comme vous avez dévoré tout le rôti hier soir, il faut que vous me fassiez quelques courses. Que voulez-vous pour midi ?

— Un rosbif ! s'écrient-ils en chœur.

— Encore ? Allez, d'accord pour le rosbif. Mais Dago n'aura droit qu'à un os : un bel os avec un peu de viande autour.

— On achète aussi des gâteaux pour notre goûter avec Mme Pichon ? interroge Annie.

— Je me charge de la tarte aux cerises, répond sa mère. Pour le reste, choisissez ce qui vous plaît... mais ne dévalisez quand même pas la pâtisserie !

Les trois vacanciers, perchés sur leurs bicyclettes, suivent maintenant la petite route qui conduit au village. C'est une belle journée de printemps. Les fossés remplis de grandes herbes folles s'émaillent de fleurettes jaunes. Les marguerites aux longues tiges étalent sous le soleil leurs pétales blancs. Quand Mick entonne une chanson, les vaches qui broutent dans un pré lèvent un instant la tête comme pour écouter. Annie se met à rire.

La benjamine des Cinq est heureuse de se retrouver avec ses frères. Elle n'est pas dans la même école qu'eux, alors ils lui manquent beaucoup. Mais maintenant c'est les vacances, et ils vont passer trois semaines ensemble ! Une bouffée de joie l'envahit. Sa voix s'élève, se mêlant à celle de Mick. Ses deux frères la regardent, en souriant.

— Eh bien, Annie ! s'écrie l'aîné. D'habitude, tu as l'air d'une petite souris timide…

— Moi, une petite souris ! proteste sa sœur, étonnée et plutôt vexée. Qu'est-ce qui te fait dire ça ? Attends un peu : tu pourrais avoir des surprises !

— Ah oui ? ça m'étonnerait. Une souris ne se transforme pas tout d'un coup en tigre ! D'ailleurs, c'est Claude, le fauve de la famille : ça suffit largement !

Cette description de leur cousine les fait tous rire. Mick s'esclaffe tellement qu'il zigzague et heurte la roue arrière du vélo d'Annie. Elle se retourne, furieuse :

— Attention ! Tu as failli me renverser. Tu ne peux pas regarder où tu roules ?

— Hé, Annie ! Qu'est-ce qui t'arrive ? réagit François, ébahi d'une telle vivacité.

— Je faisais le tigre ! explique sa sœur avec un clin d'œil. Pas mal, non ?

— Bien joué ! s'exclame Mick. Jamais je ne t'ai vue t'énerver comme ça. C'était bizarre… mais très drôle !

— Assez plaisanté ! coupe François. On arrive à la boucherie ; Mick, viens avec moi acheter la viande. Annie s'occupe du goûter.

Des dizaines de gâteaux, plus appétissants les uns que les autres, s'étalent dans la vitrine de la boulangerie. Annie choisit consciencieusement.

« Alors… songe-t-elle, on sera sept – en comptant Dago. Si on a faim, les gâteaux disparaîtront vite. »

Les garçons sont ravis de constater que plusieurs paquets encombrent la bicyclette de leur sœur. Ils le sont plus encore quand elle leur demande d'aller chercher le reste dans la boutique : ses sacoches ne peuvent rien contenir de plus !

— J'ai l'impression qu'on va se régaler, aujourd'hui, remarque Mick avec satisfaction. J'espère que Mme Pichon aura faim ! Je me demande ce qu'elle a à nous dire.

— Vous avez pensé à prendre un os pour Dago ? interroge Annie.

— Bien sûr ! réplique François. J'ai tellement hâte de le revoir… Il a partagé presque toutes nos aventures !

— C'est vrai, acquiesce sa sœur qui roule à côté de lui. Et il semblait même les apprécier !

— Exact, approuve Mick. Nous aussi, on s'est bien amusés... Qui sait ? Une nouvelle aventure nous attend peut-être.

— J'en doute ! répond Annie. De toute façon, j'aimerais me reposer après ce trimestre. J'ai beaucoup travaillé, vous savez.

— Tu as bien le droit ! Après tout, tu es la première de ta classe ! réagit François, fier de sa petite sœur. Promis : pas d'aventures, cette fois-ci ! Compris, Mick ?

Quand le trio arrive à la maison, Claude et le chien Dagobert les attendent. Posté sur la route, oreilles pointées en avant, Dago remue sa longue queue. Dès qu'il aperçoit les vélos, il bondit à toute vitesse en aboyant comme un fou. Il se précipite vers ses trois amis, les forçant à mettre pied à terre.

— Salut Dago ! s'écrie Annie en le caressant.

Jappant de plaisir, la queue agitée de mouvements frénétiques, Dago n'arrête pas de bondir. Il passe de Mick à François en leur léchant les mains. On dirait qu'il ne les a pas vus depuis un an !

— Allez, ça suffit, maintenant ! s'esclaffe Mick en le repoussant pour essayer de remonter sur son vélo. Où est Claude ?

Avertie par les aboiements de son chien, Claude, vêtue d'un short et d'un tee-shirt, accourt vers ses cousins. Ceux-ci viennent à sa rencontre, avec de grands sourires.

— Je vois que vous avez fait des courses, constate leur cousine. Je suis bien contente que tu m'aies invitée, Annie. Papa n'a pas encore retrouvé ses papiers. On se croirait dans une maison de fous : tous les tiroirs sont retournés, même ceux de la cuisine ! Quand je suis partie, maman cherchait les documents dans le grenier. Je me demande pourquoi papa croit qu'ils se trouvent là-haut !

— Ma pauvre ! se désole Mick. Je m'imagine très bien oncle Henri en train de crier et de s'arracher les cheveux, alors qu'il a peut-être jeté ses notes par erreur dans la corbeille à papiers !

— Tiens… tu as raison ! On n'y a pas pensé !

— On va ranger nos vélos, déclare François. Pousse ton nez du rosbif, Dago. Pas question que tu en manges aujourd'hui ! Tu t'es déjà un peu trop régalé hier soir !

— Il a profité d'un moment où j'avais le dos tourné pour engloutir deux tranches d'un coup, confie Claude, en accompagnant ses cousins. Au fait, qui est cette Mme Pichon ? Il paraît qu'on doit goûter avec elle ? J'espérais plutôt qu'on partirait en promenade.

— Impossible, dit Mick. Mme Pichon veut nous parler de quelque chose. Il faut rester... Tu réussiras à rester tranquille, Claude ?

Sa cousine lui lance un coup de poing amical.

— Ça va, je n'ai pas cinq ans !

— Eh, ne m'attaque pas ! s'exclame Mick, rieur. N'oublie pas que je suis plus fort que toi !

Il tourne les yeux vers sa sœur et ajoute malicieusement :

— Enfin... la plus forte d'entre nous, c'est peut-être Annie, après tout ! Ce matin, elle a grondé comme un tigre et...

— Tu es bête, Mick ! fait cette dernière. Il m'a traitée de souris !

— Toi, faire le fauve ? pouffe Claude. Je ne peux même pas l'imaginer !

— Vraiment ? Un de ces jours, je vous étonnerai tous, vous verrez !

— Bon, coupe François en entourant de son bras les épaules de sa sœur. Venez, maintenant. On ferait mieux de rentrer avant que Dago ne déchire les paquets de gâteaux. Arrête de lécher ce sac ! Tu vas le trouer.

— Il flaire les tartelettes aux fraises, remarque Annie. On pourrait lui en donner une ?

15

— Non ! répond Claude. Ce serait du gaspillage. Il ne digère pas les fraises.

— Ouah ! réagit le chien, comme s'il approuvait les paroles de sa maîtresse.

Il renifle le papier qui entoure son os.

— Voilà ton déjeuner, Dag, annonce Annie. Eh ! Regardez, maman nous fait signe par la fenêtre. Je pense qu'elle demande le rosbif.

Ils se dirigent vers la maison. Dagobert trotte derrière le sac de boucherie.

— Non, Dago, tu n'auras pas de viande, le rabroue François. Assis ! Je n'ai jamais vu un chien aussi affamé. On dirait que tu ne le nourris pas, Claude.

— Au contraire, rétorque sa cousine en riant. Allez, Dag, suis-moi !

L'animal obéit, mais jette un regard désolé vers les paquets que François, Mick et Annie sortent des sacoches.

Une fois les provisions posées sur la table, Sylvie, la cuisinière, les examine tout en gardant l'œil fixé sur Dago.

— Faites-le sortir ! exige-t-elle. Quand il est dans les parages, la viande finit toujours par se volatiliser ! Descends, maintenant ! Enlève tes pattes de cette table toute propre !

Dago trottine vers la porte. Dommage qu'on ne le laisse jamais rester dans la cuisine ! Mais ce n'est pas grave : il reviendra discrètement quand la cuisinière aura tourné les talons ! Avec un peu de chance, il trouvera quelques miettes oubliées sur le carrelage…

— Bonjour, Claude, lance Mme Gauthier en entrant dans la cuisine. Dago, sors d'ici ! À moins de cent mètres d'un rosbif, je n'ai aucune confiance en toi. Allez, ouste !

Le chien file.

— Et vous, les enfants, laissez Sylvie préparer le déjeuner, ajoute-t-elle. Et n'oubliez pas de fermer la porte. Je ne tiens pas à ce que Dagobert vienne renifler partout comme s'il n'avait pas mangé depuis huit jours alors qu'il est gras comme un cochon !

— Il n'est pas gras ! proteste Claude, scandalisée. Il est juste… gourmand !

Pendant ce dialogue, Dago est revenu sur ses pas. Il lève le nez d'un air digne, comme s'il se sentait offensé par les propos de Mme Gauthier.

— Maman, tu l'as vexé ! remarque François en riant.

Claude fronce les sourcils, mais les autres ne peuvent s'empêcher de s'esclaffer.

La matinée se finit très agréablement. Les enfants, accompagnés de Dago, font un tour à la plage, puis suivent les hautes falaises balayées par le vent frais. Dago pourchasse les mouettes qui se posent sur le sable. Il paraît toujours surpris quand elles s'élèvent paresseusement, portées par leurs longues ailes.

Au déjeuner, les enfants, affamés, dévorent l'énorme rosbif ; il n'y a pas de restes.

— Cette fois, aucun doute : vous ne pourrez rien avaler avant ce soir ! observe Mme Gauthier.

Mais elle se trompe…

Une visite

À l'heure du goûter, assis devant la table bien
garnie, François, Mick, Annie et Claude attendent
avec impatience l'invitée … qui est en retard.

— Je crois que je ne vais pas beaucoup aimer
cette Mme Pichon, déclare Claude au bout d'un
long moment. J'ai une faim de loup et ces gâteaux
à la crème sont si tentants !

La sonnette retentit enfin. Une vieille dame
fait son entrée, souriant à chacun.

— Asseyez-vous, propose Mme Gauthier.
Nous sommes ravis de vous voir.

— Je suis venue demander quelque chose aux
enfants, explique Mme Pichon en s'installant. Sauf
s'ils préfèrent prendre leur goûter d'abord…

Dès qu'elle prononce ces mots, les Cinq la

19

trouvent extrêmement sympathique ! Dago se tient sagement sous la chaise de Claude qui lui glisse de temps en temps un morceau de pain beurré ou de gâteau.

— Vous êtes sans doute curieux de connaître la raison de ma visite, reprend l'invitée quand les assiettes ne contiennent plus que des miettes. J'ai besoin que vous et votre cousin qui, je crois, s'appelle Claude, me donniez un coup de main…

Personne ne fait remarquer que Claude est une fille et que son nom est, en réalité, Claudine. Comme d'habitude, elle est ravie qu'on la prenne pour un garçon ! Tous observent Mme Pichon, attendant la suite avec curiosité.

— Voilà ce qui se passe, poursuit-elle. Je possède une jolie maisonnette sur la falaise, au-dessus du port. Mon petit-fils Edmond a dix ans, et je m'occupe de lui pour les vacances de Pâques. Seulement je dois m'absenter quelques jours pour soigner ma cousine qui est malade… et je ne veux pas laisser Edmond tout seul. Si votre mère vous le permet, accepteriez-vous de vous installer avec lui pour lui tenir compagnie ?

— Il s'agit de cette belle petite maison d'où on a une vue magnifique ? questionne Mme Gauthier.

— Exactement. Je viens d'emménager et il

reste beaucoup de travaux à faire… L'eau ne marche pas, l'électricité et le gaz non plus. Il faut tirer l'eau du puits et s'éclairer aux bougies. Ce peut être amusant, pour quelques nuits…

— On pourrait voir la maison avant de prendre une décision ? interroge François.

— Bien sûr ! Si votre mère est d'accord…

— Les enfants aiment se sentir indépendants, approuve Mme Gauthier.

— C'est vrai ! confirme Mick. On adore vivre seuls. Et puis maman serait contente d'être tranquille !

Mme Pichon paraît ravie.

— Parfait ! Alors rendez-vous demain, à dix heures ! Vous admirerez le panorama ; il est grandiose ! On peut contempler le port et des dizaines de kilomètres à la ronde… Maintenant, il faut que je me sauve. Je vais annoncer à Edmond que vous lui tiendrez probablement compagnie. Quand il veut, il est vraiment gentil et serviable. Je suis certaine que vous vous entendrez bien !

— Ce sera génial de se retrouver de nouveau ensemble, sans adultes ! observe Claude après le départ de Mme Pichon. Enfin, on ne sera pas juste entre nous… mais je ne pense pas qu'Edmond nous ennuiera. Ce ne doit être qu'un petit peureux qui n'ose pas rester tout seul. Enfin, on verra demain !

Le lendemain matin, les jeunes vacanciers se préparent à partir pour la maison de Mme Pichon.

— Tu viens avec nous, maman ? questionne François.

— Impossible. J'ai trop de choses à faire aujourd'hui.

— Tant pis, dit Annie en l'embrassant. On ira seuls. De toute façon, on sentira tout de suite si on a envie d'habiter là-bas ou non. Il faut qu'on fasse connaissance avec Edmond...

— Il est dix heures moins le quart, intervient Mick. Claude vient d'arriver avec Dago. Allons sortir les vélos !

Bientôt, les quatre enfants roulent, et Dagobert, comme d'habitude, court près d'eux la langue pendante, les yeux brillants. Pour lui, bondir aux côtés de ses amis du matin au soir, c'est le paradis !

Ils suivent une route qui grimpe vers le sommet de la colline. Soudain, après un tournant, un immense panorama s'offre à leur vue. Quelques bateaux de pêche se balancent doucement, ancrés dans une mer d'un bleu éblouissant. Annie, sans hésiter, pose pied à terre et saute de sa selle.

— Quel paysage magnifique ! Il y a des kilomètres de mer et de ciel.

Elle pose son vélo contre une barrière en bois

et contemple la vue. Mick la rejoint. Soudain, une vois retentissante les fait sursauter :

— Avance, Fleurette !

En se retournant, les deux enfants aperçoivent, dans le pré longeant la route, un paysan qui porte un rouleau de fil de fer. De sa main libre, il repousse une vache qui tente de franchir les limites de son pré. L'air nonchalant, l'animal accepte de rester dans son champ. L'homme adresse un grand sourire à Annie et Mick, s'éponge le front avec un mouchoir à carreaux et se met à réparer la clôture.

— On pourra se promener dans ces prés, murmure Annie à son frère. Regarde, là-bas, les ajoncs tout dorés, et les petites fleurs qui jaillissent de partout, les coucous, les pâquerettes, les marguerites. C'est tellement beau ! Sans parler de la mer...

— Oui... Si on peut admirer un paysage pareil de la maison de Mme Pichon, je serai vraiment content d'y habiter. Rends-toi compte ! En nous levant, le matin, on n'aura qu'à se pencher à la fenêtre pour admirer le port, la mer immense, les coteaux qui bordent la baie et, au-dessus, le ciel...

— Waouh ! Tu fais de la poésie ! le taquine Annie.

Comme François et Claude les appellent, ils se

résignent à reprendre leurs vélos et tous pédalent de nouveau avec vigueur.

— Il faut trouver une porte blanche avec écrit : *La Falaise*, explique Claude.

— Justement, la voilà ! s'exclame Annie. Posons nos vélos contre ce buisson.

Après avoir poussé la porte du jardin, ils aperçoivent à leur gauche une chaumière biscornue qui surplombe, du haut de la falaise, le port et l'étendue bleue de la mer.

— On dirait une maison de conte de fées, remarque la benjamine des Cinq. Elle a de drôles de petites cheminées, des murs qui penchent, un toit de chaume qui gondole... et des fenêtres minuscules !

Les jeunes visiteurs descendent un sentier qui serpente vers la maisonnette. Quand ils atteignent le puits, ils se penchent par-dessus la margelle pour examiner l'eau qui repose au fond.

— Vous croyez qu'elle est potable ? demande Claude, incertaine.

— Si Mme Pichon et son petit-fils la boivent, c'est qu'elle est bonne, observe François. Venez ! Essayons de trouver l'entrée...

Entre deux petites fenêtres, les enfants discernent une porte de bois mal jointe, munie d'un marteau de cuivre ancien. Il y a deux autres ouvertures à l'étage. François les regarde d'un air perplexe. De dehors, les chambres semblent bien étroites... Y aura-t-il assez de place pour loger le Club des Cinq ?

Mick frappe trois coups. Personne ne vient ouvrir. Après un nouvel essai, il cherche une sonnette des yeux.

— Je n'en vois pas, s'étonne-t-il.

— La porte n'est peut-être pas fermée à clé, avance Annie.

En effet, une fois la poignée tournée, les enfants peuvent pénétrer dans une pièce qui paraît servir de salle à manger et de cuisine en même temps.

— Il y a quelqu'un ? appelle François.

Aucune réponse.

— Bizarre… commente-t-il. Pourtant, c'est la bonne maison ! Entrons !

Visiblement, la chaumière existe depuis au moins cinquante ans. Les meubles en bois sculpté sont vraiment vieux ! Les enfants remarquent des lampes à pétrole posées sur deux tables et, dans un renfoncement, un réchaud surmonté d'une casserole. François monte un escalier étroit, en colimaçon, qui conduit au premier étage. Il arrive dans une longue pièce sombre recouverte d'un toit de chaume maintenu par des poutres noircies.

— Je n'ai pas l'impression qu'elle soit assez grande pour nous quatre, en plus d'Edmond ! crie-t-il à ses compagnons.

Il a à peine fini sa phrase que la porte d'entrée s'ouvre brutalement.

— Qu'est-ce que vous faites ici ? s'exclame le nouveau venu. Vous êtes chez moi !

Un garçon d'une dizaine d'années, la figure hâlée, dévisage les quatre enfants d'un air fâché.

— Tu es Edmond ? demande poliment Mick.

— Oui. Et vous ? Ma grand-mère est partie faire des courses. Attendez qu'elle arrive : elle va vite vous faire décamper !

— Elle s'appelle Mme Pichon ? questionne Claude. C'est elle qui nous a demandé de visiter cette maison pour décider si on te tiendra compagnie pendant qu'elle ira soigner sa cousine.

— Hein ? Mais je ne veux pas de vous ! lance l'autre. Alors, dégagez ! Je suis bien plus heureux quand je suis seul. J'en ai assez que mamie s'inquiète toujours !

— Ne sois pas stupide, réagit François. Tu ne peux pas vivre seul ici !

— Je ne suis pas seul. J'ai plein d'amis ! affirme Edmond d'un ton de défi.

— Dans un endroit aussi isolé, où on ne voit que les falaises et la mer ? Ça m'étonnerait ! ironise Claude.

— Tu te trompes ! En voilà un : regardez !

Il plonge la main dans sa poche et, devant les Cinq horrifiés, brandit un serpent.

Annie se cache derrière François en poussant un cri. Remarquant sa frayeur, Edmond s'approche d'elle, tenant le reptile par son milieu. Il se tord dans tous les sens.

— N'aie pas peur, Annie, commente François, rassurant. C'est une couleuvre inoffensive. Range cette bête, Edmond. Si c'est ça que tu appelles « avoir plein d'amis », tu risques de t'ennuyer !

— J'en ai d'autres ! rétorque le petit-fils de Mme Pichon en remettant la couleuvre dans son nid improvisé. Tu veux te battre, ou quoi ?

— Du calme ! fait Mick. Montre-nous tes compagnons. J'espère seulement que ce ne sont pas des gamins qui te ressemblent !

— Des gamins ! réplique Edmond avec mépris. Je n'en fréquente pas. Venez dehors, je vais vous prouver que je dis la vérité.

Tous sortent de la petite maison, stupéfaits de la brutalité du garçon. Une fois dans le jardin, ils remarquent ses yeux bleus et ses cheveux dorés comme les blés.

— Asseyez-vous, ordonne-t-il. Là-bas, à côté des buissons. Ne remuez surtout pas ! Vous allez voir...

Les Cinq, surpris et amusés, s'installent à l'ombre des ajoncs. Edmond s'assoit en tailleur quelques mètres plus loin et tire quelque chose de sa poche. Qu'est-ce que c'est ? Claude essaie de voir mais le garçon cache l'objet au creux de sa main droite. Enfin, le portant à ses lèvres, Edmond commence de siffler. Le son léger, étrange, s'élève comme une sorte d'hymne sauvage et émouvant. Annie trouve cet air plutôt mélancolique.

Un bruissement d'herbe se fait entendre sur la pente. À la stupéfaction des jeunes visiteurs, un animal apparaît : un lièvre ! Ses longues oreilles pointées vers le ciel, il fixe Edmond de ses petits yeux brillants. Soudain, il se met à gambader joyeusement. Une pie descend d'un pommier, volette au-dessus du lièvre, amusée, le regardant bondir et virevolter. Les cousins, ravis, retiennent leur souffle. Ces bêtes habituellement si craintives semblent parfaitement à l'aise avec Edmond !

Instinctivement, Dago fait entendre un grognement sourd. C'est plus fort que lui, quand il voit un lapin ou un oiseau, il se met à gronder… Immédiatement, le lièvre se sauve, la pie disparaît en jacassant.

Edmond jette un regard furieux au pauvre Dago. Le visage crispé, il s'élance vers lui, la main levée… Claude l'intercepte en le menaçant du poing.

— Laissez-moi ! hurle Edmond. Ce chien a effrayé mes amis !

Il se produit alors un événement inattendu.

Dagobert s'approche du garçon irrité, se couche près de lui et pose la tête sur ses genoux en le contemplant d'un air très doux. Edmond baisse la main pour caresser l'animal. Mais Claude se fâche devant le comportement absurde de son protégé.

— Dag ! Ici ! appelle-t-elle.

Celui-ci se lève, lèche la main du garçon, puis rejoint sa maîtresse.

— Vous pouvez habiter chez moi, déclare Edmond, si vous amenez votre chien. Il est super ! J'aimerais qu'on devienne copains.

Là-dessus, il saute sur ses pieds et dévale la côte, laissant les Cinq pantois. Dagobert le suit de ses grands yeux tristes.

— Ce garçon ne doit pas être tellement méchant, conclut Mick. Dago le regarde s'éloigner comme s'il était son meilleur ami !

En effet, le chien agite maintenant la queue en gémissant.

— C'est vrai ! Et on peut faire confiance à Dag ! approuve Annie en caressant le museau du chien. Il suffit d'apprendre à connaître Edmond. Je suis sûre qu'on deviendra bientôt inséparables !

— Tu parles ! persifle Claude. Moi, il ne me plaît pas du tout !

Elle n'en revient toujours pas que son chien

29

se soit couché aux pieds d'Edmond, alors qu'il s'apprêtait à le taper.

— Il doit vraiment adorer les animaux ! observe Mick. C'est extrêmement rare que les bêtes accordent leur confiance à un humain... ça veut forcément dire qu'Edmond est quelqu'un de « bien » !

— Peuh, je parie qu'elles viendraient aussi vers moi si je me servais de son pipeau, réplique Claude.

Elle marque un temps et ajoute à voix basse :

— D'ailleurs, je ne vais pas me gêner pour le lui emprunter...

chapitre 3

L'installation

Annie retourne dans la chaumière.

« C'est un endroit très romantique, songe-t-elle. Rempli du souvenir des gens qui ont vécu ici, qui ont admiré ce paysage... L'ambiance est tellement paisible ! Même les nuages semblent heureux ! Ils se promènent tranquillement dans le ciel bleu... »

Après avoir exploré la maison, elle conclut que la chambre du premier étage, sous le chaume, conviendra aux garçons. Il y a deux lits, l'un étroit, le second plus large...

« Edmond dormira sur le petit, pense-t-elle, Mick et François sur l'autre. Claude et moi, on s'installera dans la salle à manger, avec Dago qui montera la garde. Je me demande où je pourrais trouver des matelas... Ah ! voilà des couvertures et des duvets, ça fera l'affaire ! »

Pendant ce temps, les autres découvrent un petit garde-manger, contenant quelques boîtes de conserve, deux miches de pain complètement rassis, du lait qui commence à tourner et un paquet de gâteaux secs devenus mous.

— Mme Pichon n'a pas dû faire les courses depuis un moment, commente Mick. Il faudra qu'on descende au village pour acheter des provisions.

— De toute façon, il faut qu'on retourne à la maison pour récupérer nos vêtements, répond François. On passera à l'épicerie sur le chemin.

— On pourra cuisiner sur le réchaud, ajoute Claude. On complétera nos repas par des plats froids : du jambon, du pâté, de la salade, des fruits. Et s'il manque quelque chose, ce sera facile de descendre au village à vélo.

— Eh ! Vous entendez ? murmure François en dressant la tête. Je crois qu'on nous appelle.

En effet, après avoir fait quelques pas dehors, les Cinq aperçoivent Mme Pichon à la porte d'une voiture. François s'avance vers elle et la salue.

— Pardon pour mon retard… s'excuse-t-elle. Alors, que pensez-vous de la maison ?

— Elle nous plaît beaucoup, assure Annie. D'ailleurs, on aimerait emménager dès aujourd'hui. Le paysage est magnifique ! J'aimerais pouvoir le peindre...

— Vous avez rencontré Edmond ? demande Mme Pichon avec appréhension. Il a un caractère quelquefois... euh... difficile.

— On a surtout remarqué qu'il avait un pouvoir étonnant sur les animaux, souligne Annie.

— En effet, approuve la vieille dame. Pourtant, j'avoue que je n'apprécie pas tellement les petits serpents, les scarabées ou les hiboux qui viennent ululer la nuit en attendant qu'Edmond leur réponde !

— Les bêtes ne nous gênent pas, répond Mick en riant. Pour nous le plus important, c'est qu'il aime notre chien. D'ailleurs, il a accepté qu'on reste *à condition* que Dago soit là !

— Ça lui ressemble bien, constate Mme Pichon avec bonne humeur. Mon petit-fils peut-être un peu bizarre. Ne vous laissez pas faire.

— Pas d'inquiétude ! réplique joyeusement François. Le plus surprenant, c'est qu'il veuille vivre avec nous. Il ne préférerait pas plutôt retourner chez lui ?

— Ce n'est pas possible : sa sœur a la grippe. Il ne faudrait pas qu'il l'attrape aussi.

— Alors il devra s'habituer à nous ! conclut Annie. Merci de nous prêter votre maison, madame. On en prendra soin.

— J'en suis persuadée. Au revoir, les enfants. Amusez-vous bien. Je pars tout de suite chez ma cousine. Évitez juste qu'Edmond ne transforme la maison en arche de Noé ! Où est-il, d'ailleurs ? ... Je suis déjà en retard : dites-lui que je l'embrasse !

Les Cinq attendent poliment que la voiture de la vieille dame ait disparu au bout de la route pour retourner dans la maison. François s'arrête et contemple la mer. Quelques bateaux de pêche sortent du port. Ils passeront peut-être une nuit, une semaine, ou même un mois au large…

Sa sœur le rejoint.

— On a l'impression d'avoir le monde à nos pieds… Tu crois que c'est une île, tout là-bas ?

— Oui. On dirait qu'elle est couverte de forêt. Je me demande comment elle s'appelle et si elle est habitée. Je ne distingue aucune maison, et toi ?

La voix de Mick interrompt la conversation.

— Annie ! François ! Claude et moi, on descend au village. Vous avez besoin de quoi ?

— Je vous accompagne ! répond son frère. En plus de nos affaires, il y aura les provisions et pas mal de choses à transporter… Sauf si maman nous les apporte en voiture, cet après-midi !

— Bonne idée, approuve Claude. Allons d'abord chercher mes habits, mon pyjama et ma brosse à dents à la *Villa des Mouettes*, puis on passera chez vous. Maman montera les paquets les plus lourds.

— Moi, je reste ici, annonce Annie. Je veux profiter de la vue et continuer à explorer la maison. J'essaierai de faire marcher le réchaud. Je ne m'ennuierai pas !

— D'accord ! À tout à l'heure ! lance sa cousine. On emmène Dago ; il sera heureux de se défouler en courant sur la route !

Suivis du chien qui bondit joyeusement, les trois enfants s'éloignent. Lorsqu'ils sont hors de vue, Annie se dirige gaiement vers la chaumière. Elle monte la pente et décide d'aller chercher de l'eau au puits. Le seau, suspendu à la corde par un crochet, descend en se balançant pendant qu'elle tourne la manivelle. *Floc !* Annie remonte le récipient rempli d'eau claire, pure et glacée.

Pendant qu'elle chemine vers la maison, quelqu'un se glisse derrière elle et pousse un hurlement sauvage. Annie laisse tomber le seau en criant de surprise et de frayeur. Edmond danse autour d'elle en riant.

— C'est malin ! s'exclame-t-elle, furieuse.

— Où est le chien ? questionne le garçon en regardant de tous les côtés. Je ne le vois pas. Je veux bien que vous veniez habiter ici, mais *seulement* s'il vient aussi !

— Il est descendu au village avec les autres. Maintenant, ramasse le seau et va le remplir au puits.

— Hors de question ! Je ne suis pas ton esclave. Fais-le toi-même !

— *Pff...* fait Annie en saisissant le seau. Je dirai à Claude comme tu es méchant ; tu peux être sûr que Dago ne sera plus ton copain !

— Quoi ? s'écrie Edmond. Oh, non ! Excuse-moi... Promis, je vais tirer de l'eau ! Mais ne répète rien à Claude et Dago !

Il empoigne le seau et tourne les talons.

« Eh bien ! On va s'amuser avec un type aussi bizarre ! » songe Annie.

Quelques minutes plus tard, Edmond revient et dépose le récipient rempli d'eau près de la benjamine des Cinq.

— Tu veux voir mes scarabées ? questionne-t-il.

— Non merci, répond froidement Annie. Je n'aime pas ces bestioles.

— Tu as tort ! réplique Edmond avec sévérité. J'en ai deux qui sont magnifiques. Si tu veux, tu pourras les prendre dans ta main. Ça fait drôle de sentir leurs petites pattes qui courent sur la peau.

— Je n'ai pas peur des scarabées, mais je ne tiens pas à ce qu'ils se promènent sur ma main, fait la pauvre Annie qui, en réalité, ne toucherait l'un de ces insectes pour rien au monde. Laisse-moi passer, Edmond. Si tu étais gentil, tu porterais le seau à la cuisine.

— Je ne suis pas gentil, grommelle le garçon. Tout le monde me le dit. De toute façon, puisque tu refuses d'admirer mes scarabées, je ne porterai pas ton seau.

— Alors, va-t'en ! s'écrie la benjamine des Cinq, exaspérée, en saisissant l'anse du récipient.

Edmond va s'asseoir près d'un buisson touffu. Penchant la tête au ras de l'herbe, il regarde sous les arbustes. La fillette se sent mal à l'aise. Se prépare-t-il à appeler les scarabées ? Elle ne peut s'empêcher de poser le seau d'eau pour l'observer.

Aucun insecte ne surgit... en revanche, un autre animal apparaît. Un gros crapaud fixe sur Edmond un regard confiant. Annie est stupéfaite. Comment Edmond a-t-il su que la bête se cachait là ? Elle frissonne car elle n'aime vraiment pas les crapauds, mais elle ne peut détacher son regard de ce spectacle étonnant.

« Il paraît que ce sont des bêtes intelligentes et pratiques, puisqu'elles mangent les insectes nuisibles. Mais, je ne pourrais pas en toucher une seule ! »

Edmond l'appelle :

— Viens dire bonjour à mon gentil crapaud. Ensuite, je porterai ton seau.

Craignant que le garçon ne fasse encore sortir un ou deux serpents, Annie hésite. Vraiment, ce garçon est étrange ! Si seulement Mick ou François pouvaient revenir...

Elle s'aperçoit soudain avec horreur que le crapaud grimpe sur la main d'Edmond. Cette fois, c'en est trop ! Elle attrape le seau et détale comme un lapin effrayé vers la maison, renversant en chemin une bonne moitié de l'eau. Tout en se précipitant, elle songe :

« Je suis vraiment froussarde… Plutôt que de m'enfuir, je devrais me dire que ce sont les petites bêtes qui ont peur des grosses, pas l'inverse ! »

À cet instant, elle aperçoit une énorme araignée sur le réchaud.

— Edmond ! Edmond ! s'égosille-t-elle. Vite, viens la chasser !

Edmond arrive sans se presser. Heureusement, il a abandonné son crapaud ! Faisant claquer légèrement sa langue, il tend la main vers l'insecte velu qui dresse deux petites antennes, se déplace sur le réchaud et atteint ses doigts. Annie ne peut réprimer un frisson ; elle ferme les yeux. Quand elle les rouvre, Edmond et l'araignée ont disparu.

38

Elle se remet enfin de ses émotions et vaque à ses occupations dans la maison. Mais bientôt, Edmond revient en demandant :

— Qu'est-ce qu'il y a à manger ? J'ai faim.

Bousculant presque la fillette, il ouvre le buffet et en sort une brioche. Il en coupe une tranche qu'il se met à dévorer.

— Tu aurais pu m'en offrir un morceau, observe Annie. Tu n'es vraiment pas poli !

— Je n'aime pas être poli ! réplique l'autre, la bouche pleine. Surtout avec les gens qui s'installent chez moi alors que je ne les ai pas invités.

— Tu dis n'importe quoi ! s'exclame Annie, agacée. D'abord, ce n'est pas *ta* maison : elle appartient à ta grand-mère. Et puis, tu nous as dit qu'on pouvait rester avec Dago.

— Bientôt, Dago deviendra mon chien, affirme le garçon en tournant les talons. Il ne reconnaîtra même plus Claude ; il ne me quittera jamais, ni le jour, ni la nuit.

Annie éclate de rire. Dago, s'attacher à ce gamin ? Jamais ! Le chien aime Claude de tout son cœur et il ne l'abandonnerait sûrement pas pour Edmond, même si celui-ci, avec son pipeau, semble avoir un don pour parler aux animaux.

— Ne te moque pas de moi, rétorque le garçon, furieux, en s'arrêtant sur le seuil. Ou j'appelle ma

39

couleuvre... et ma vipère ! Je vais te faire courir, et vite, pendant des kilomètres !

— Ah ! non ! fait Annie d'un air assuré en se précipitant vers le coin de la pièce. C'est moi qui te regarderai courir !

Le seau d'eau à la main, elle s'élance jusqu'à la porte et, d'un mouvement brusque, en projette le contenu sur Edmond, abasourdi.

Mais il y a quelqu'un d'encore plus stupéfait : François, planté dans l'embrasure de la porte !

chapitre 4

Une histoire

François, ne voulant pas laisser Annie seule trop longtemps, est rentré avant son frère et sa cousine. Il la regarde en écarquillant les yeux. Il n'a jamais vu sa sœur dans un tel état de colère !

— Annie ! Qu'est-ce qui se passe ?

— François ! souffle-t-elle, surprise.

Trempé de la tête aux pieds et ahuri, Edmond essaie de reprendre son souffle. Annie lui semblait si inoffensive, si peureuse : il ne pensait pas qu'elle réagirait avec autant d'énergie !

— Cette fille ! grogne-t-il en se secouant. Elle m'a lancé de l'eau à la tête... Je ne veux pas qu'elle reste dans ma maison !

En voyant Edmond tout rouge et dégoulinant, François éclate de rire.

— Eh bien, fait-il en donnant une tape amicale à sa sœur, on dirait que la souris a vraiment laissé place à un tigre !

— Je n'aurais pas dû l'arroser, s'empresse de répondre Annie, gênée. Tu comprends, il m'a tellement énervée que j'ai perdu mon sang-froid et...

— Alors il n'a eu que ce qu'il méritait ! l'interrompt François avec un grand sourire. Allez, va te changer, Edmond !

Le garçon reste planté là, ruisselant.

— Tu entends ? reprend l'aîné des Cinq.

À la vue du gamin trempé et malheureux, Annie éprouve soudain du remords. Courant vers lui, elle s'écrie :

— Excuse-moi ! Je regrette vraiment de t'avoir lancé de l'eau.

Edmond esquisse une grimace qui se veut un sourire. On entend comme un sanglot.

— Excuse-moi aussi, murmure-t-il.

Il tourne les talons et s'en va en courant.

— Laisse-le se calmer, conseille François. Ça lui fera du bien. À mon avis, il va devenir raisonnable. Tu l'as sûrement ému en lui demandant pardon. Je crois qu'après cet épisode, Edmond ne t'embêtera plus.

Une dizaine de minutes plus tard, Edmond réapparaît, avec des habits secs. Dans les bras, il portait un tas informe de vêtements trempés où se mêlent les jambes du pantalon et les manches de la chemise.

— Je vais les étendre sur l'herbe pour qu'ils sèchent au soleil, propose Annie.

Edmond lui répond d'un sourire.

— Merci, dit-il.

— Tiens, voilà les autres qui reviennent ! constate François. On va pouvoir remplir le frigo ! Edmond, viens nous aider !

— Comme on a réussi à transporter toutes nos affaires à vélo, explique Mick, maman ne viendra pas aujourd'hui.

Les enfants rangent les vêtements et les provisions. En peu de temps, la maison est nette et confortable.

— Parfait, conclut François, en contemplant la chambre. Quand on aura poussé les bagages dans le coin, on aura assez de place pour dormir...

Il rejoint les autres qui contemplent le garde-manger bien garni. Il y a du pâté de campagne, du jambon, des boîtes de sardines, des tomates, de belles laitues, des pots de confitures, du chocolat, des oranges... même les gaufrettes dont raffolent les deux cousines. Et cette énorme brioche, elle durera bien deux ou trois jours !

Annie se sent très heureuse. Elle n'éprouve plus de remords en pensant au seau d'eau ren-

43

versé sur le pauvre Edmond. En fait, elle se sent assez fière !

« Surtout, songe-t-elle. Edmond se montre beaucoup plus gentil, maintenant ! »

Les enfants s'installent joyeusement dans la chaumière. Comme la place manque vraiment dans la salle à manger, ils décident de prendre leurs repas dehors, sur l'herbe tiède et odorante. Annie et Mick aiment bien composer les menus ; Claude et François portent les plateaux. Edmond lui-même prend part à ces travaux.

Quelle joie de s'asseoir au soleil, au sommet de la falaise ! Ils regardent le port, commentent les allées et venues des bateaux, admirent le panorama superbe qui les entoure.

Une chose rend Claude particulièrement curieuse : l'île qui se dresse au loin.

— Comment elle s'appelle ? demande-t-elle à Edmond.

— Je ne me souviens plus… mais je sais qu'elle a une histoire bizarre. Avant, elle appartenait à un vieil homme solitaire. Des gens venaient souvent pour essayer de lui acheter l'île, mais il employait des gardes qui les empêchaient d'aborder. Ses hommes étaient armés.

— Ils visaient ceux qui voulaient débarquer ? interroge Mick.

— Je pense qu'ils tiraient seulement pour les

effrayer et les faire fuir. En tout cas, plusieurs personnes ont eu une peur terrible en s'approchant de la côte. Pan ! Pan ! Les balles sifflaient autour d'eux ! Ma grand-mère m'a raconté qu'un monsieur très riche qu'elle connaissait avait l'intention d'acheter une partie de l'île : son bateau allait accoster quand son chapeau s'est envolé, emporté par un coup de fusil !

— Il y a encore quelqu'un là-bas ? demande François. Je suppose que le vieux monsieur est mort maintenant. Des héritiers lui ont succédé ?

— Je ne crois pas. Je ne suis pas bien au courant, mais je connais un pêcheur, Lucas, qui pourrait nous raconter : pendant un temps, il était l'un des gardes.

— Ce serait intéressant de l'entendre, remarque Mick. Tu sais où on peut le trouver ?

— Sans doute chez lui, en train de réparer ses filets.

— Allons-y tout de suite ! s'écrie Claude avec impatience. Dago meurt d'envie de se promener.

— Ouah ! Ouah ! fait le chien en se redressant d'un bond.

Il se met à gambader autour de Claude. Edmond tente de l'attirer à lui, sans succès.

— Je voudrais que tu sois mon chien à moi, murmure-t-il. Tu me suivrais partout !

Dago court alors vers lui pour lui donner un

coup de langue affectueux. C'est incroyable à quel point il paraît aimer Edmond. Claude n'en revient pas.

« D'habitude, Dago est très difficile dans le choix de ses amis ! se dit-elle. Enfin, quand même, Edmond est plus gentil qu'au début... »

Le Club des Cinq, plus Edmond, grimpe la pente et suit la route qui mène au village. Peu avant les premières maisons, Edmond oblique à gauche et prend un chemin sinueux qui descend vers la mer.

Bientôt, il désigne du doigt une cabane qui, de loin, se confond presque avec les falaises.

— Regardez, c'est là qu'habite Lucas. Il vit seul. Il m'a souvent raconté des histoires passionnantes.

Tous les cinq, Dagobert sur les talons, atteignent la petite maison vétuste. Elle semble déserte.

— Ho ! Lucas ! appelle Edmond. Vous êtes là ?

Personne ne répond.

— Il est peut-être près de son bateau, dans la crique.

Les enfants se dirigent vers une sorte de grosse barre rocheuse, l'escaladent, sautent de rocher en rocher et arrivent enfin devant le pêcheur qui, penché sur un filet, s'apprête à piquer une navette dans une maille.

— Tiens ! Bonjour ! fait-il en levant son visage tanné par le soleil et l'air du large.

Il tend la main vers Dago qui s'approche en remuant la queue. Après avoir reniflé deux ou trois fois, le chien pose le museau sur les genoux de l'homme.

— Allons ! s'écrie Lucas avec un rire. Tu t'imagines que je vais rester tout l'après-midi sans rien faire ? Tu te trompes. J'ai du travail, mon vieux, alors lève-toi !

— On voudrait vous demander des renseignements sur l'île qui se trouve en face du port, explique Edmond. Comment elle s'appelle, déjà ?

— On l'aperçoit depuis la maison sur la falaise, précise Mick. Elle paraît bien calme et solitaire.

— C'est vrai, approuve le pêcheur.

Entourant de son bras le cou du chien revenu frétiller près de lui, il se met à parler. Ses yeux brillants se posent tour à tour sur chacun des enfants. Il se montre si simple, si gentil, que tous le considèrent aussitôt comme un ami de longue date. Assis autour de lui sur les galets de la crique, ils respirent avec plaisir l'odeur de la mer et des algues que porte la brise légère.

— L'île a toujours eu quelque chose de mystérieux, reprend Lucas. Elle se nomme l'île aux

47

Quatre-Vents parce qu'on dirait que tous les vents du ciel s'y donnent rendez-vous. Comme elle est couverte d'arbres qui frissonnent et font entendre des sons plaintifs sous le souffle ininterrompu des bourrasques, certains l'appellent aussi « l'île-qui-gémit ». Mais beaucoup ne parlent d'elle que sous le nom d'île de Malencontre, car ses côtes se hérissent de falaises abruptes, de rochers traîtres et on se perd dans ses bois touffus…

Le pêcheur s'arrête un instant et observe les enfants attentifs, suspendus à ses lèvres. Il sait faire monter le suspense ! Bien des fois, Edmond a été captivé par ses récits de pêche nocturne. C'est une des rares personnes qu'il admire vraiment.

— Continuez, demande-t-il en posant la main sur son bras hâlé. Racontez-nous l'histoire du vieux monsieur très riche et très égoïste qui habitait dans l'île.

— Laisse-moi raconter à ma manière… Tu parlais du vieillard très riche ? Eh bien, il craignait tellement les voleurs, qu'il s'est installé en plein milieu de l'île, dans les bois, où il s'est fait construire un grand château. Pour dégager la place nécessaire au bâtiment, il a fallu abattre une centaine d'arbres… Toutes les pierres proviennent du continent. Vous avez remarqué la carrière abandonnée, à environ deux kilomètres d'ici ?

— Oui, répond François.

— Figure-toi, jeune homme, que les pierres utilisées pour bâtir le château venaient de là. On dit que de grandes barques à fond plat, fabriquées exprès, ont transporté les matériaux jusqu'à l'île.

— Vous vous souvenez de cette époque ? questionne Mick.

— Bien sûr que non ! réplique le pêcheur avec un rire sonore. C'était il y a bien longtemps ! Une fois le château terminé, le vieil homme y renferma des statues magnifiques ; il paraît que certaines étaient en or, mais je ne le crois pas. J'en ai entendu des légendes incroyables sur les trésors cachés par cet homme dans l'île aux Quatre-Vents : un grand lit soi-disant d'or massif incrusté de pierres précieuses, un collier de rubis gros comme des œufs de pigeon, une épée splendide dont la poignée vaudrait une fortune, et d'autres objets que j'ai oubliés…

Il s'interrompt et son regard prend une expression lointaine.

Intriguée, Annie interroge :

— Que sont devenus ces trésors ?

— Un jour, les gendarmes reçurent un message leur apprenant que le vieil homme était recherché pour avoir commis un délit ; ils lui ordonnèrent de se présenter au poste. Bien entendu, le riche vieillard refusa. Le brigadier demanda alors l'aide de l'armée... En se réveillant une semaine plus tard, le propriétaire de l'île aperçut sur la mer deux petits navires de guerre qui s'apprêtaient à accoster.

Le vieux Lucas se tait quelques secondes, savourant la curiosité qui brille dans les yeux de ses jeunes auditeurs.

— L'un des bateaux sombra, reprend-il, éventré par les récifs dont le capitaine ignorait la présence, mais les gendarmes et les marins parvinrent à nager jusqu'à l'île et se joignirent à l'équipage du navire rescapé pour prendre d'assaut l'étrange château. Le vieux solitaire fut jeté en prison.

— A-t-on trouvé les trésors ? demande Claude.

— Rien ! Certains affirment qu'il ne s'agit que d'une légende, d'autres prétendent qu'ils sont encore dans l'île. Moi, je soutiens que ce n'est qu'une histoire… une bonne histoire !

— À qui appartient l'île maintenant ? questionne François.

— Quelque temps après, un couple s'y est installé. Peut-être que ces gens avaient acheté l'île, peut-être qu'ils la louaient, je ne sais pas. L'homme et la femme ne s'intéressaient qu'aux oiseaux et aux animaux. Ils ne permettaient à personne d'aborder et employaient même, comme le vieil homme riche, des gardes armés qui effrayaient les touristes. Ils voulaient maintenir la paix et la tranquillité pour ne pas troubler les bêtes qui vivaient en liberté... L'idée n'était pas mauvaise ! Quand je travaillais là-bas comme garde, les lapins venaient souvent gambader jusqu'à mes pieds... et les oiseaux se laissaient apprivoiser.

— J'aimerais tellement y aller ! s'exclame Edmond avec passion. Je m'amuserais bien avec les bêtes sauvages ! Est-ce qu'on peut s'y rendre ?

— Non, répond Lucas en saisissant sa navette. Depuis que l'homme et la femme sont morts, personne n'a plus habité le château. Un petit-neveu de ces gens s'occupe aujourd'hui de l'île, mais de loin ; il n'y vient jamais. Il a engagé, lui aussi, deux gardes qui empêchent les gens de débarquer ; il paraît qu'ils sont vraiment méchants. On dirait que ça devient une tradition pour cette île, d'être surveillée par des hommes armés... Et voilà l'histoire de l'île aux Quatre-Vents ! Elle n'est pas très plaisante, et même plutôt triste. C'est maintenant le territoire des oiseaux et des bêtes.

— C'était passionnant... conclut Annie.

Le vieux Lucas lui sourit en lui tapotant la joue.

— Allez, je dois me remettre au travail. Demain à l'aube, je pars à la pêche ; il faut que mes filets soient réparés !

chapitre 5

Edmond
et son pipeau

Après cette conversation intéressante, les enfants laissent Lucas à ses travaux. Ils remontent le chemin tortueux tandis que Dago court, fou de liberté, dans les bruyères que traverse le sentier. Soudain, il stoppe net. D'un épais fourré, un minuscule lapin jaillit comme une flèche, affolé. Dago se lance à sa poursuite ; effrayée, la bête saute dans tous les sens, avec l'espoir de le semer.

— Laisse, Dago, laisse ! crie Claude.

Mais le chien ne l'entend même pas. Alors, Edmond émet un curieux sifflement. Le lapin hésite une fraction de seconde, puis fait volte-face et file droit vers lui. Il saute dans ses bras et s'y blottit. À son tour, Dagobert bondit, mais Claude le tire en arrière.

— Non, Dago ! Tu n'attraperas pas cette bête. Assis ! J'ai dit : assis !

Le chien la regarde d'un air dépité. Furieux contre sa maîtresse, il s'éloigne. Les lapins existent bien pour qu'on les attrape, non ? Pourquoi Claude veut-elle toujours gâcher son plaisir ?

Le petit lapin frémit de la tête jusqu'au bout de la queue. Peu à peu, il se calme. Quand Edmond le dépose au pied d'un arbuste, il s'enfuit en un éclair à la recherche du terrier le plus proche.

— Eh bien, Dago, gronde gentiment Edmond. Il est trop petit pour toi qui es si gros !

— Ouah ! répond le chien, comme s'il comprenait, et il donne un coup de langue au garçon.

Puis, avec des aboiements joyeux, il se met à danser autour de lui : c'est sa façon de l'inviter à jouer. Edmond accourt, ravi. Les cousins le suivent, impressionnés une fois de plus par le pouvoir mystérieux de leur compagnon sur les animaux. Claude fronce les sourcils ; elle ne se sent pas tellement rassurée... Si elle ne fait pas attention, son chien lui préférera bientôt Edmond !

Au croisement du chemin avec la route, les Cinq rejoignent Edmond et Dago, essoufflés.

— Regardez ! s'écrie Annie. Un pré de violettes. On pourrait en cueillir quelques bouquets pour décorer la chaumière !

— Bonne idée ! approuvent les autres.

Et ils commencent à rassembler les fleurettes mauves qui poussent sur le talus de la prairie. À peine trois minutes se sont écoulées que Dagobert revient vers eux en bondissant. Il tient quelque chose entre ses crocs...

— Qu'est-ce que c'est ? questionne Claude. Une pierre ? Donne, Dago !

Soudain, ce qui ressemble à un caillou disparaît dans la gueule du chien, qui crache des coquilles brisées et une substance jaune mélangée à une autre translucide... Il a trouvé un œuf ! Les enfants éclatent de rire. Dagobert repart vers un buisson, puis revient avec un second œuf qu'il dépose délicatement aux pieds de Claude. Celle-ci le ramasse tandis que le chien s'élance de nouveau vers le taillis d'où il extirpe un nouvel œuf. Au grand amusement de tous, il recommence son manège à plusieurs reprises. Claude tient maintenant cinq œufs dans ses mains !

— Voilà une poule qui choisit un drôle d'endroit pour pondre ! remarque enfin François.

— Tiens ! s'écrie Mick. J'aperçois justement une ferme, là-bas. La poule s'est sans doute échappée.

— Allons trouver le fermier, propose Claude. Il ne sait peut-être pas qu'une de ses volailles a le goût de l'indépendance !

Au bout d'une centaine de mètres, la petite

troupe atteint deux vastes bâtiments qui encadrent une cour. Des canards et leurs canetons, des poules et leurs poussins picorent. À la vue des enfants et de Dago, ils s'enfuient dans un grand bruit de caquètements et de battements d'ailes. Claude s'avance vers le fermier qui desselle un cheval.

— On vous rapporte quelque chose qui vous appartient… annonce-t-elle. Mon chien a trouvé ces œufs dans un buisson.

— Enfin ! s'exclame l'homme en souriant. Ça fait une semaine que j'essaie de repérer la place où ma poule blanche et noire cache ses œufs ! Vous comprenez, la porte reste presque toujours ouverte, mais c'est la seule coquine qui s'amuse à se sauver… Entrez donc boire un verre de limonade !

Les enfants pénètrent dans la salle fraîche, tandis que Dago, à sa grande joie, se voit offrir des os de lapin.

— On habite la chaumière qui se dresse sur la falaise, explique Mick. Vous la connaissez ?

— Et comment ! Il y a bien longtemps, ma grand-mère y a vécu. Quelle vue magnifique ! Je crois que c'est l'une des plus belles qui soient ! De là-haut, vous pouvez apercevoir l'île aux Quatre-Vents. Enfin… on devrait plutôt l'appeler l'île du Mystère ! Il paraît que les gens qui s'y sont rendus n'en sont jamais revenus.

— Qu'est-ce qui leur est arrivé ? demande Annie.

— Il s'agit peut-être d'un conte, répond le fermier avec prudence. Comme on dit que des trésors y sont cachés, des collectionneurs du monde entier ont essayé de s'introduire dans l'île. D'après la rumeur, les bois cacheraient des statues blanches comme la neige... Moi, je n'y crois pas !

— Les collectionneurs sont revenus ? questionne François.

— Deux hommes envoyés par un musée ont un jour loué un bateau. Ils ont hissé un drapeau blanc pour que les gardes ne tirent pas sur eux... On n'a plus jamais eu de nouvelles : ils ont disparu purement et simplement.

— Qu'est-ce qui leur est arrivé ? réagit Annie, en frémissant.

— Personne ne sait. Quand on a retrouvé la barque, elle dérivait à des kilomètres au large. Elle était vide. Les gendarmes ont conclu que les deux hommes avaient perdu leur direction à cause du brouillard.

— Ils auraient abandonné leur embarcation pour gagner la rive à la nage ? demande Mick. Ou un navire de passage les aurait recueillis ?

— En tout cas, ils n'ont jamais redonné signe de vie. J'ai l'impression que les pauvres se sont

57

noyés, à moins que les gardes ne les aient abattus au moment où ils cherchaient à accoster !

— Et les gendarmes n'ont rien fait ? demande Claude, étonnée.

— Si : une patrouille de la gendarmerie maritime s'est rendue dans l'île. Aux questions posées, les gardes ont juré qu'ils n'avaient vu arriver personne et qu'ils étaient les seuls habitants. Les gendarmes ont eu beau fouiller partout, ils n'ont découvert que le château de pierre, au milieu des bois, et des dizaines de bêtes sauvages qui connaissaient si peu la peur qu'elles se laissaient approcher sans broncher.

— C'est bien mystérieux, observe François en se levant. Merci beaucoup pour la limonade et pour votre récit. Lucas aussi nous a raconté des histoires sur l'île aux Quatre-Vents.

— Lucas ! s'écrie le fermier. Il est sûrement bien renseigné : je crois que, pendant un moment, il faisait partie des gardes... Vous êtes gentils de m'avoir rapporté les œufs ; mais prenez-les, vous pourrez les manger à la coque.

Quand les enfants sortent, Dagobert se met à bondir avec fougue. Ça ne l'amuse pas d'errer dans la cour, devant les poules dédaigneuses qui se promènent tranquillement en sachant qu'il ne peut pas les pourchasser.

— Tes os étaient bons, Dago ? interroge Claude.

Il accourt vers elle et lui donne un rapide coup de langue. Drôle de question ! Il adore les os !

La petite bande atteint bientôt la route. Tout en marchant, les enfants discutent de l'île étrange.

— Je me demande ce qui est vraiment arrivé aux deux hommes, murmure Annie. C'est bizarre, cette barque à la dérive !

— Ils ont dû se noyer, conclut Mick. Vous croyez qu'il reste encore quelques-uns des trésors cachés par le vieux monsieur ? Probablement pas : les gendarmes les auraient trouvés au cours de leurs recherches…

— J'aimerais bien aller dans l'île ! fait Claude d'un air enthousiaste. Je ne pense pas que les gardes tireront sur nous, quand même ! Ils seront peut-être même contents de notre visite. Ça leur changerait les idées ; ils doivent s'ennuyer à mourir...

— Ne prends pas tes désirs pour des réalités, conseille François. On n'approchera pas de cette côte.

— Je sais que c'est impossible, réplique Claude. Mais si on arrivait à aborder sur l'île et à l'explorer sans que les gardes s'en aperçoivent, ce serait une aventure palpitante !

— Pas si palpitante que ça ! s'exclame sa cou-

59

sine. On risquerait d'être criblés de balles ! De toute façon, les trésors ont dû être enlevés depuis longtemps. On ne découvrirait rien d'intéressant, sauf des animaux sauvages…

— Moi, ça m'amuserait bien ! coupe Edmond, les yeux brillants. D'ailleurs, je pourrais emprunter une barque à un pêcheur ; je naviguerais autour de l'île pour tenter de voir les bêtes.

— N'essaie pas de nous jouer un de tes tours… glisse Annie.

— Allez, dépêchons-nous maintenant ! lance François. Il est l'heure de déjeuner ; j'ai une faim ! On pourrait manger nos œufs à la coque !

— Bonne idée, acquiesce Mick. Avec du jambon ! Il reste beaucoup de pain, de la laitue, des tomates et des oranges !

— Super ! s'écrie Claude. À table, Dago, à table !

Aussitôt, Dagobert démarre comme une flèche.

— Si seulement je pouvais filer comme lui… soupire Annie, essoufflée. Pousse-moi, François ; je n'arriverai jamais en haut de cette côte !

Les enfants rejoignent le chien de Claude qui les attend au sommet de la pente, haletant, la langue pendante. Ils le voient ramasser un objet rond, le lancer, puis le rattraper.

— Encore un œuf ? suggère Mick.

— Il serait déjà cassé ! réplique Claude. Donne, Dago. Qu'est-ce que tu as trouvé ?

Elle voit une balle rouler à ses pieds.

— Vous voyez, elle est trouée à l'endroit d'où l'élastique s'est détaché, remarque-t-elle. Quelqu'un a dû la perdre. Tiens, Dago, tu peux jouer avec.

— Il ne risque pas de l'avaler ? questionne Edmond d'un air soucieux. Elle n'est pas grosse...

— Dago est trop intelligent pour avaler une balle ! Et puis arrête de t'inquiéter pour lui ; je m'en charge. C'est mon chien, compris ?

— Bon, fait Edmond. Mademoiselle Je-sais-tout s'occupe de son chien !

Claude le fixe, contrariée ; il lui répond par une grimace. Puis, il siffle Dago. Oui, il *ose* siffler Dago ! Le sang de Claude ne fait qu'un tour.

— Tu n'as pas le droit de siffler mon chien ! s'écrie-t-elle. De toute façon, il ne te répondra pas.

Mais à sa grande surprise, Dagobert commence à sauter devant le garçon. Comme sa maîtresse le rappelle avec sévérité, il la regarde, étonné. Mais quand il revient vers elle, Edmond siffle de nouveau. Obéissant, le chien se prépare à retourner sur ses pas.

Claude saisit son collier d'une main tandis que,

de l'autre, elle lance un coup de poing à Edmond. Elle le manque. Son adversaire se met à danser autour d'elle en riant.

— Arrêtez, vous deux ! ordonne François dès qu'il remarque l'air furieux de sa cousine. Edmond, marche devant. Et toi, Claude, ne sois pas bête ; il te taquine pour que tu perdes ton sang-froid. Ne lui donne pas ce plaisir !

Sa cousine ne répond rien mais ses yeux étincellent.

« Eh bien, pense Annie, finie la tranquillité ! Claude ne pardonnera pas à Edmond d'essayer de lui prendre Dago. Ce type peut vraiment être odieux ! »

Tous sont affamés et ravis de préparer le déjeuner… sauf la maîtresse de Dago, qui refuse de le lâcher au cas où Edmond chercherait à l'attirer. Dans la cuisine, Mick tend l'oreille et commente :

— Tiens, je l'entends encore siffler ces notes bizarres… Les animaux ne semblent pas pouvoir y résister. Pas étonnant, que Claude tienne solidement Dago par le collier !

— J'espère qu'elle ne va pas nous faire la tête, dit Annie. Bien sûr, Edmond se conduit souvent bêtement, mais au fond il n'est pas méchant.

— Tu as sans doute raison. Enfin, c'est entre Claude et lui ! Est-ce qu'il y a assez de tomates ?

— Oui. Allez, on va manger dehors !

Tous dévorent leur repas. C'est tellement agréable de rester assis sur la falaise en observant, au loin, les quelques barques qui naviguent dans le port ! Par ce temps clair, les enfants peuvent contempler l'île aux Quatre-Vents. Ils s'aperçoivent que les bateaux évitent de l'approcher…

— Là-bas, des tas d'animaux doivent se promener dans la forêt, remarque soudain Edmond. Des biches, des faons, des blaireaux… J'aimerais bien en voir un de près !

— Voir un blaireau ? Tu es bien le seul ! rétorque Claude. Ils sentent mauvais ! Heureusement qu'il n'y en a pas ici. Tu ne pourras pas en appeler avec ton pipeau.

— Par contre, tu pourrais faire venir un petit lapin ? demande Annie.

— Je crois, répond le garçon en plongeant la main dans sa poche droite.

L'air inquiet, il fouille dans l'autre. Il se lève brusquement. Le visage pâle, il regarde ses compagnons.

— Je ne l'ai plus… murmure-t-il. Mon pipeau ! J'ai perdu mon pipeau. Jamais je n'en retrouverai un pareil !

chapitre 6

L'île aux Quatre-Vents

Edmond paraît sur le point de fondre en larmes. Il se met à chercher de tous côtés, et les autres font de leur mieux pour l'aider. Seule, Claude reste assise. Mick, après lui avoir jeté un coup d'œil, fronce les sourcils. Elle paraît contente de la perte du précieux instrument ! Décidément, elle déteste le pauvre Edmond !

L'air de rien, la maîtresse de Dagobert rassemble les assiettes et les verres, et les porte dans la chaumière. Annie la rejoint quelques instants plus tard.

— J'ai de la peine pour Edmond, dit-elle. Pas toi ?

— Non. Tant pis pour lui ! J'espère qu'il ne

retrouvera jamais son pipeau... ça lui apprendra à essayer de me prendre Dago !

— Oh ! s'écrie Annie, choquée. Il fait ça pour rire ! Il ne faut pas prendre ses blagues au sérieux. Tu sais bien que Dago t'aime plus que n'importe qui ! Il t'appartient et rien ni personne ne pourra te le voler...

— Oui, fait Claude d'une voix tremblante, mais Dag lui obéit. Et il ne le devrait pas !

— Je crois qu'il ne peut pas s'en empêcher. Edmond a un pouvoir sur les animaux. Et son pipeau produit une sorte d'appel magique.

— C'est pour ça : je suis contente qu'il soit perdu ! déclare-t-elle.

Annie se rend compte qu'il est inutile de raisonner sa cousine. Alors qu'elle quitte la cuisine, une question dérangeante vient la tourmenter : Claude saurait-elle où est le pipeau ? L'aurait-elle par hasard découvert, puis caché ou même... cassé ? Non ! C'est sûr, Claude a parfois mauvais caractère, mais pas à ce point.

Annie retourne vers les garçons en se promettant de consoler Edmond... mais il n'est plus là.

— Il cherche son pipeau, explique Mick. Je crois qu'il a vraiment beaucoup de chagrin. Il nous a annoncé qu'il allait retourner à la ferme et qu'il referait tout le chemin parcouru ce matin. S'il réussit à le retrouver, il aura de la chance !

— Le pauvre ! lance Annie, compatissante. Bah alors, Mick ! Qu'est-ce que tu fais ? Ah, je vois ! Tu vas encore dormir !

— Eh oui ! Je vais m'étendre au soleil, jusqu'à trois heures. Ensuite, j'irai me promener sur le port et je me baignerai peut-être.

— Moi aussi, approuve son frère en bâillant. Il fait tellement beau qu'on se croirait au mois de juillet ! Tiens, moi aussi j'ai sommeil...

Les quatre enfants dorment, sous les chauds rayons du soleil. Au bout d'une heure, une mouche se met à bourdonner autour des oreilles d'Annie. Elle se réveille, se frotte les yeux et consulte sa montre.

— Déjà trois heures dix ! s'écrie-t-elle, étonnée. François ! Mick, debout ! Vous voulez toujours vous baigner ?

Les deux garçons se redressent en s'étirant et lancent un regard envieux vers Claude, encore plongée dans le sommeil. Edmond n'est toujours pas revenu.

— Allez, debout ! fait Annie. François, ne t'allonge pas, tu risques de te rendormir ! Je vais chercher les maillots.

— Ils sont dans notre chambre, répond Mick d'un ton paresseux. J'ai vraiment bien dormi ! Je me croyais dans mon lit.

Annie réapparaît bientôt, munie d'un paquet de linge.

— J'ai tout ce qu'il faut ! crie-t-elle à ses frères. Maillots et serviettes !

— Merci ! répond François en s'étirant. Quel soleil magnifique !

Du pied, il pousse sa cousine.

— Allez, marmotte ! Lève-toi, ou on te laisse ici.

Claude se lève enfin en bâillant. Comme pour la remercier, son chien lui donne un coup de langue sur la joue.

— Je suis prête, dit-elle en le caressant. Il fait si chaud, je meurs d'envie de plonger dans la mer. Pas toi, Dag ?

Remuant gaiement la queue, le chien s'élance aux côtés des enfants. Ils suivent la route jusqu'à un terrain pierreux, en friche, qui surplombe une petite plage déserte. L'étendue bleue, scintillante, l'endroit calme les incitent à s'y arrêter. En moins de trois minutes ils enfilent leurs maillots de bain. Annie court au bord de l'eau et la teste du bout de l'orteil.

— Elle est bonne ! s'exclame-t-elle. Pas du tout froide.

— Ouah ! fait Dago en bondissant dans les vagues.

Dès l'arrivée de Claude, il barbote dans sa

direction. Elle passe les bras autour de son cou et se laisse tirer par lui.

— Bravo, Dago ! félicite-t-elle.

À quelques mètres du rivage, de gros rouleaux enflent et retombent en gouttelettes, comme des cascades miniatures. Les Cinq sautent au rythme des flots. Parfois, ils plongent sous les crêtes d'écume blanche et, au-delà de cette barrière, nagent dans la mer devenue lisse. Une vraie journée de vacances !

Quand ils se sentent fatigués, ils s'allongent au soleil, sur le sable chaud. Comme d'habitude, Dago monte la garde près de sa maîtresse. Au bout d'un moment, Claude se redresse, contemple le large avec envie et remarque un pêcheur qui ramène sa barque.

— Si seulement on avait un bateau ! soupire-t-elle en observant l'homme qui, maintenant, tire son embarcation à l'autre bout de la crique. Vous croyez que le pêcheur accepterait de nous louer le sien ?

— Allons lui demander, décide François en se levant.

Le marin écoute la requête de l'aîné et examine les visages tendus de ses compagnons.

— Non, répond-il d'un ton bourru en serrant sa pipe entre ses dents. Je ne vous louerai pas ma barque.

Il observe un instant l'expression déçue de ses jeunes interlocuteurs et poursuit d'un air malicieux :

— Mais je veux bien vous la prêter ! Vous trouverez au fond une paire de rames. Vous ne pourrez pas utiliser le moteur, je dois le faire réparer mais l'atelier ne s'en occupera qu'après-demain... À votre retour de promenade, vous n'aurez qu'à hisser le bateau sur le sable : il ne bougera pas.

— Merci beaucoup ! lancent quatre voix reconnaissantes.

— Cette barque a un nom ? questionne Claude.

— *La Belle Aventure* ! s'exclame Annie, en désignant le flanc. C'est écrit sur la coque !

— Parfait ! remarque Mick en aidant les autres à pousser l'embarcation vers la mer. Eh ! la voilà qui part sans nous ! Doucement, on voudrait monter !

Le Club des Cinq s'installe vite dans le petit bateau qui tangue sur les vagues. François rame vers le large avec énergie. Une bonne brise accompagne les jeunes aventuriers.

— Il ne fait plus si chaud, maintenant ! déclare Claude en s'enroulant dans sa serviette.

Soudain, l'île aux Quatre-Vents paraît devant eux, bizarrement large, haute et sombre.

— Attention ! lance Annie. Il ne faudrait pas qu'un garde nous repère !

Malgré les efforts acharnés de François, la marée entraîne les navigateurs vers le seul endroit à éviter. Claude saisit une rame et tous deux luttent avec désespoir contre la poussée de la mer pour tenter de s'éloigner de la côte interdite.

Sans succès ! Les vagues sont plus fortes. Alors que le bateau n'est plus qu'à quelques mètres du rivage, un énorme rouleau survient et le jette sur le sable.

— Ça alors ! s'écrie François, en sortant de la barque. Si j'avais su que la marée serait aussi puissante, je n'aurais pas conduit la barque loin du rivage.

— Qu'est-ce qu'on va faire ? interroge Annie, effrayée.

Elle jette des coups d'œil inquiets, s'attendant à voir surgir un garde armé d'un fusil.

— On n'a qu'à rester ici jusqu'à la prochaine marée, suggère Mick. Et en attendant, rien ne nous empêche de faire une petite balade !

Les enfants tirent le bateau sur la plage, attrapent leurs vêtements et les cachent sous un buisson. Puis ils se dirigent vers le bois touffu. Ils entrent à peine dans la forêt, qu'un bruit étrange, mystérieux, se fait entendre.

— On dirait… des chuchotements, remarque Claude en s'arrêtant. Ce sont les arbres qui chuchotent ? Écoutez : on dirait même qu'ils gémissent.

— Je n'aime pas beaucoup ça, murmure Annie, paniquée.

« Chut... chut... chut... chut ! » font les branches dont les feuilles s'agitent au vent.

— Incroyable ! estime Mick. On devrait explorer plus loin ! Après tout, Dago est là ! En le voyant, personne n'osera nous attaquer.

— Avec leurs fusils, les gardes seraient capables de lui tirer dessus, observe sa cousine.

— Tu as raison, admet François. Surtout, ne lâche pas son collier.

— Et si on essayait de les trouver ? tente alors Mick. On leur expliquerait que la marée nous a poussés malgré nous. Ils nous croiront sûrement.

Les autres réfléchissent un moment avant d'approuver. Tandis que le Club des Cinq pénètre dans les bois, les bruissements des arbres redoublent d'intensité. On ne voit personne. La forêt est si épaisse qu'il est parfois difficile de se frayer un chemin. Après une dizaine de minutes de marche, François s'arrête. Entre les troncs, il aperçoit quelque chose.

Mick, Annie, Claude, suivie de Dagobert, se

pressent derrière lui. L'aîné du groupe tend la main, désignant un grand mur de pierre gris.

— Sans doute le vieux château, avance-t-il.

Tout autour, le feuillage chuchote de plus en plus fort. Les enfants arrivent près du mur et commencent à le longer. Il est très haut : Annie doit renverser la tête pour voir le sommet. Quand ils atteignent enfin une grille, ils jettent des regards curieux à l'intérieur du domaine. Une immense cour s'étend sous leurs yeux, entièrement vide.

— J'ai l'impression d'être un lilliputien ! remarque Mick, en observant la porte monumentale.

Soudain, il se tait. Deux hommes robustes apparaissent en haut de larges marches de pierre. Les enfants se cachent aussitôt derrière le mur mais Dago pousse un grondement menaçant. Les inconnus s'arrêtent immédiatement, méfiants, et scrutent les alentours.

— Le bruit vient de là-bas, marmonne l'un d'eux en pointant vers la gauche.

Au grand soulagement des Cinq, ils s'élancent dans la mauvaise direction.

— Il vaut mieux retourner à la plage, chuchote François. Ces types ont l'air louches ! Claude, arrange-toi pour que Dago n'aboie pas !

Ils longent de nouveau l'enceinte du château,

mais en sens inverse, traversent le bois envahi de murmures et débouchent sur le sable.

— On ferait mieux de ramer vite, juge Annie. On dirait qu'il se passe des choses bizarres, ici ; ces hommes ne ressemblaient pas du tout à des gardes…

— Attendez ! s'écrie soudain Mick, d'une voix alarmée. Où est le bateau ? Je ne le vois plus !

Annie, François, Claude regardent de tous côtés. En effet, l'embarcation a disparu.

— C'est pourtant bien ici qu'on l'a laissé, fait observer Claude. Vous pensez que la mer l'a emporté ? Regardez cette grosse vague qui arrive... et qui se retire en entraînant du sable !

— Bien sûr ! lance François, troublé. Le bateau a très bien pu être soulevé par une lame de cette force. Attention ! En voilà une autre !

— C'est sur cette plage qu'on a accosté ! crie Annie en jetant un coup d'œil sous un buisson, près du bois. Regardez, nos affaires sont là !

— Prends-les vite ! ordonne François, tandis qu'une énorme vague envahit la crique. On est tellement bêtes : on aurait dû tirer le bateau au loin !

— J'ai froid maintenant, affirme Annie. Je vais m'habiller.

— Moi aussi… en plus, comme ça, on sera moins chargés, approuve Mick.

Tous se changent rapidement : ils ont plus chaud, ce qui les réconforte un peu.

— Si on laissait les serviettes et les maillots cachés dans les buissons ? propose Claude. Ils nous serviront de point de repère.

— Bonne idée, acquiesce François. Maintenant, il faut trouver une solution pour rentrer. Mais sans bateau, je ne vois pas comment faire... Avec une barque qui s'appelle *La Belle Aventure*, on aurait dû se méfier !

chapitre 7

Une découverte passionnante

Debout près de l'eau, François regarde au-dessus du rouleau formé par les vagues, espérant apercevoir le bateau.

« S'il n'a pas dérivé trop loin, on pourra peut-être le ramener », songe-t-il avec espoir.

Mais non, la mer est déserte... Mick le rejoint, l'air inquiet.

— Tu crois qu'on réussirait à nager jusqu'à la côte et revenir avec une autre barque ?

— Impossible, répond François. C'est trop loin. De toute façon, la marée est tellement forte, en ce moment, que personne n'arriverait à avancer contre le courant.

— Et si on envoyait des signaux ?

— Avec quoi ? Même en agitant un tee-shirt

pendant des heures, on n'attirerait l'attention de personne.

— Il faut bien faire quelque chose ! s'écrie Mick. On trouvera peut-être une barque ici, sur l'île ; les hommes du château en possèdent sûrement une pour leurs allées et venues !

— Tu as raison ! Dès qu'il fera noir, on partira en exploration. Ces deux types s'approvisionnent sans doute sur le continent ; si ça se trouve, ils disposent même de deux ou trois bateaux.

À cet instant, Annie et Claude s'approchent, accompagnées de Dago qui geint.

— Il ne semble pas tellement aimer l'île aux Quatre-Vents, constate sa maûtresse. Je suppose qu'il sent le danger.

— Il y a de quoi ! réagit Mick en caressant le museau du chien. Je suis bien content qu'il soit avec nous.

— Avec Annie, on a pensé à faire des signaux, enchaîne Claude. Pour que les secours nous repèrent.

— D'ici, on ne les verrait pas, répond l'aîné des Cinq. On y a déjà pensé.

— Ce soir, quand la mer se sera retirée, on devrait allumer un grand feu sur la plage, suggère la benjamine du groupe. Ça, les secours le remarqueraient sûrement !

François et Mick échangent un regard.

— Tu as raison, approuve ce dernier. Ce serait encore mieux de le faire flamber sur une hauteur, par exemple là-bas, sur la falaise.

— Il risquerait d'alerter les hommes de l'île, observe Claude.

— Tant pis ! réplique François. C'est notre seule chance. Mais, sans allumettes, on risque de mettre longtemps à allumer les flammes, alors, avant, il faut manger ! Je meurs de faim…

— Tout ce que j'ai, ce sont deux barres chocolatées, annonce Claude en plongeant la main dans la poche de son short. Elles sont un peu ramollies.

— Voilà quelques bonbons, ajoute Mick, prenez-en un chacun.

Bientôt, tous sucent les friandises. Dagobert avale sa part en un éclair.

— Les chiens ne savent pas apprécier les bonbons, commente Annie en secouant la tête. Non, Dag, inutile de renifler la poche de Mick : tu n'en auras plus !

Déçu, l'animal parcourt la plage à petits pas. Il flaire la trace d'un lapin et, alléché, la suit dans le bois, nez au sol. Sans remarquer son départ, les enfants continuent de discuter, essayant de trouver une solution : pas de bateau, pas de nourriture, pas d'allumettes... La situation est critique.

Soudain, un bruit sec claque à leurs oreilles :
Pan ! Tout le monde sursaute.

— Un coup de feu ! s'écrie Mick. Les gardes !
Ils tirent sur qui ?

— Où est Dago ? s'affole Claude, en jetant
un regard autour d'elle. Dag, Dag, viens ici !
Dagobert !

La gorge des enfants se serre. Dago ! Visé par
balle ?

Folle d'angoisse, Claude agrippe le bras de
Mick.

— Il faut le retrouver ! Vite ! Il est peut-être
blessé !

— Chut ! fait son cousin alors que des cris
s'élèvent au loin. J'ai cru entendre un glapisse-
ment.

Ils distinguent un froissement, comme si quelqu'un foulait un tapis de feuilles mortes. Alors,
le chien montre le bout du nez, cherchant sa maîtresse de ses yeux brillants.

— Mon Dago ! souffle Claude en l'embrassant
avec émotion. J'ai eu si peur ! Ils ont tiré sur toi ?
Tu es blessé ?

— Je ne comprends pas pourquoi on l'a visé,
lance François. Et… ça alors ! Regardez ce qu'il
rapporte : du jambon !

Tout frétillant, la viande entre les dents, Dago
attend un geste d'approbation.

— Où tu as pris ça ? questionne Annie.

S'il avait su parler, Dago aurait répondu :

— Je suivais la trace d'un lapin, quand je suis arrivé dans un hangar plein de boîtes de conserve. Sur une assiette, j'ai vu ce jambon qui m'attendait... Alors comme j'étais affamé et vous aussi...

La viande tombe aux pieds de Claude. Elle s'apprête à le remercier, mais s'arrête net :

— Dago a été touché ! articule-t-elle d'une voix tremblante. Regardez : il lui manque une touffe de poils à la queue, et il saigne.

— C'est vrai ! confirme François en examinant le chien. Ces hommes ne plaisantent pas ! On devrait aller les trouver pour leur dire qu'on veut pas causer d'ennuis ; il ne faudrait pas qu'on leur serve de cibles.

— Tu as raison, acquiesce Mick.

L'incident ne semble pas affecter Dago. Fier de fournir un dîner à ses compagnons, il agite même avec entrain sa queue blessée !

— Je me demande bien qui sont les types qui ont tiré... marmonne Claude. Qu'est-ce qu'ils surveillent ?

— Bonne question, admet l'aîné du groupe. À mon avis, on devrait attendre la nuit pour explorer l'île. On risquerait moins de se faire repérer.

— Je ne pourrai jamais attendre jusqu'à ce

soir ! proteste sa cousine. Ces hommes ont voulu tuer mon chien !

— Ils ont peut-être cru que c'était un renard, tente de la rassurer Annie.

— On pourrait traverser le bois, sans bruit, pour essayer de trouver quelque chose, propose Mick. Ou bien longer la côte pour essayer de trouver un bateau. Dag nous signalera les dangers. On marchera en file indienne et en silence.

Les autres hésitent un instant, puis approuvent.

— De toute façon, on s'ennuiera si on reste ici à rien faire, conclut François. Dago, passe devant. Tu nous avertiras si un garde approche.

Dès que ses amis se lèvent, Dagobert les regarde d'un air rassurant.

— Je vous protégerai, promettent ses yeux vifs. N'ayez pas peur !

Ils s'engagent avec précaution entre les arbres qui bruissent. « Chut, chut, chut », murmurent les feuilles au-dessus de leur tête, comme pour les encourager à être très prudents. Mais, au bout de quelques minutes, Dago se fige et pousse un grondement étouffé. Derrière lui, toute la bande s'immobilise et tend l'oreille.

On n'entend rien. La forêt sombre, particulièrement dense à cet endroit, ne laisse pas filtrer le moindre rayon de soleil. Pourquoi Dago grogne-t-il ? Il avance une patte et, de nouveau, pousse un aboiement sourd.

François risque quelques pas en avant, s'efforçant de ne pas faire le moindre bruit. Brusquement, il stoppe, les yeux écarquillés. Son cœur se met à battre plus fort. Devant lui, une étrange forme humaine brille dans la demi-obscurité du sous-bois. Muette, elle pointe le bras vers lui.

Ses compagnons, qui l'ont rejoint, regardent par-dessus son épaule, épouvantés. Les poils de Dago se hérissent.

Chacun reste sur place, médusé. Annie avale sa salive en s'accrochant à Mick. Soudain, Claude émet un petit rire. À la stupéfaction de ses cousins, elle court vers la silhouette étincelante et lui donne une petite tape sur la main.

— C'est malpoli, de pointer du doigt, madame la Statue ! plaisante-t-elle.

Une statue ! Elle paraît si réelle... Les autres poussent de longs soupirs de soulagement.

— Eh ! s'écrie François. Regardez autour de vous ! Ce coin en est plein !

Les Cinq sont ébahis à la vue de ces silhouettes toutes blanches, qui se découpent dans la pénombre de la forêt. Les contemplant les unes après les autres, ils avancent sans s'en rendre compte. Bientôt, ils aperçoivent, au milieu d'une

83

clairière, un hangar spacieux. Ils jettent un coup d'œil discret à l'intérieur. Personne.

— Regardez ces grands coffres en fer ! chuchote Mick. Je me demande ce qu'ils contiennent.

Il se glisse dans le hangar, suivi de ses compagnons, et entrouvre le premier coffre. Dedans, repose une magnifique sculpture qui représente un garçon enfoui dans une sorte de sciure. Le second est rempli de copeaux de bois. Dessous, Annie découvre un petit ange de pierre. D'abord, une tête aux traits étranges, surmontée d'une couronne minuscule, puis deux ailes toutes mignonnes.

— Je me demande pourquoi ces statuettes sont stockées dans des coffres.

— Ce sont des œuvres d'art, sans doute très anciennes, analyse Mick. On les a emballées pour les expédier en bateau, je pense.

— Tu crois qu'elles viennent du vieux château ? questionne Claude. Il n'est pas loin..

— Possible… mais je ne comprends pas pourquoi les statues de la forêt ne sont pas dans des caisses, elles aussi ?

— Elles sont sûrement trop grandes et trop lourdes, explique François. Un bateau moyen ne serait pas assez robuste pour les embarquer. Par contre, on peut transporter ces objets plus

84

petits facilement parce qu'ils sont beaucoup plus légers.

— Une chose est sûre, les statues blanches sont celles dont a parlé le fermier, déclare Mick.

— Exact, admet François. Celles qui sont dans la forêt ne doivent pas être très précieuses, sinon on aurait pris soin de les mettre à l'abri, dans un endroit couvert. Mais je parie que les merveilles, dans ce hangar, valent une fortune !

— Je me demande qui les a placées ici... marmonne Claude.

— Peut-être les deux types qu'on a aperçus au château ? avance l'aîné des Cinq. Il faut des hommes costauds pour arriver à les transporter jusqu'au hangar, puis à les emballer de cette façon. Vous savez quoi ? Je pense qu'ils sont en train de piller le château...

— C'est sûrement ce qu'ils faisaient quand on les a vus ! approuve Mick. Il doit rester beaucoup de trésors anciens, de grande valeur ! Rappelez-vous ce qu'a raconté Lucas : l'épée à la poignée en pierres précieuses, par exemple ! Et le lit en or, et...

Dago interrompt la conversation d'un aboiement bref, ses yeux suppliants levés vers Claude.

— Qu'est-ce que tu as ? interroge-t-elle, inquiète.

— Je crois qu'il a faim, fait Annie.

— Soif, plutôt, observe François. Regardez sa langue qui pend !

— Mon pauvre Dag ! le cajole sa maîtresse. Tu n'as rien bu depuis des heures. Où est-ce qu'on pourrait trouver de l'eau ?

Quittant le bâtiment où reposent, dans leur sciure, les statuettes finement sculptées, les enfants clignent des yeux au soleil. En examinant la terre sèche, François se sent soucieux.

— Bientôt, on tirera tous la langue comme Dago...

— Il y a peut-être un robinet à l'extérieur du mur du château, suggère Claude, prête à affronter les pires dangers pour permettre à son chien de se désaltérer.

— Non ! réagit François, catégorique. On ne peut pas risquer d'approcher des hommes armés.

— Regardez ! s'écrie soudain Mick en désignant derrière le hangar.

Tous se précipitent dans la direction indiquée.

— Un vieux puits ! se réjouit sa cousine. Dago, tu vas pouvoir te régaler !

chapitre 8

De découvertes
en péripéties

Dagobert bondit et pose les pattes de devant sur le rebord du puits. Il halète de plus en plus fort.

— Du calme, Dag ! ordonne Claude, essoufflée. Le seau est encore sur son crochet ! On va le faire descendre... Les garçons, aidez-moi à actionner la manivelle. Elle est tellement dure que je n'arrive pas à la tourner.

François pèse de toutes ses forces, libérant d'un coup violent la corde qui se déroule si brusquement que le seau se décroche. Heurtant la paroi, il tombe jusqu'au fond du trou. Dagobert pousse une plainte.

— Zut ! grommelle François en observant

87

le seau perdu. Il va bientôt couler... S'il y a une échelle, j'irai le chercher !

Mais tout ce qu'il trouve, scellés dans la maçonnerie, sont quelques crampons qui indiquent qu'il y a longtemps un moyen d'accès intérieur avait été prévu.

— Que faire ? interroge Annie.

— J'ai une idée ! lance Mick. Je vais descendre le long de la corde et je prendrai le seau ! Puis vous remonterez en tournant la manivelle !

— Bonne idée ! approuvent les autres.

Une fois assis sur la margelle, Mick agrippe la corde. Il se lance, les pieds dans le vide, et oscille un instant en regardant sous lui le gouffre sombre où repose la nappe d'eau. Puis, comme il l'a appris en cours de sport, il laisse filer la corde entre ses pieds et glisse jusqu'en bas. Quand il approche du fond, il saisit l'anse du seau et le remplit à ras bord. L'eau lui semble glacée.

— Allez-y ! appelle-t-il. Hissez-moi !

Sa voix résonne dans le tunnel vertical. Malgré les efforts de François et de Claude, la remontée n'est pas rapide. Pourtant, petit à petit, Mick approche de la sortie.

Ses compagnons sont tellement concentrés qu'ils ne l'entendent pas pousser une exclamation à mi-hauteur. Ils continuent d'enrouler la corde, lentement mais sûrement.

Dès que les épaules de Mick atteignent la margelle, son frère se penche et empoigne le seau. Ravi, Dago se jette dessus et se met à laper l'eau avec énergie.

— Vous ne vous êtes pas rendu compte que je vous criais d'arrêter ? questionne Mick, encore suspendu à la corde. Ne lâchez pas la manivelle !

— Qu'est-ce qui se passe ? demande François, surpris. Pourquoi tu nous appelais ?

Mick se jette de côté, s'assure une prise sur le rebord du puits et s'installe à califourchon sur la margelle.

— J'ai aperçu quelque chose de vraiment bizarre, et je voulais m'arrêter pour voir ce que c'était.

— Alors ? questionne Claude avec curiosité.

— Je ne sais pas exactement. C'était comme une porte, une porte en fer...

— Une porte à l'intérieur d'un puits ?

— Bizarre, hein ? Redescendez-moi pour que je regarde de plus près. Quand je vous crierai : « stop », arrêtez de tourner !

— D'accord, approuve François en accrochant le seau. Tu es prêt ?

Mick s'enfonce de nouveau. Puis, comme plus tôt, François et Claude tournent la manivelle. Au signal de Mick, ils immobilisent la corde.

Penchés sur la margelle, ils observent Mick qui examine la paroi et tâtonne du bout des doigts.

— Remontez-moi ! lance-t-il enfin d'une voix sonore.

Lorsqu'il revient, fatigué, il se laisse tomber à terre, près de ses compagnons.

— J'avais raison, confirme-t-il. Il y a une sorte de panneau dans le mur... et c'est bien une porte ! J'ai essayé de l'ouvrir, mais le loquet est tellement dur que je n'ai pas réussi à le soulever avec la main. Il faudrait que je retourne le forcer avec mon canif.

— Je me demande où elle peut bien conduire ? questionne François, soupçonneux.

— J'ai envie d'aller voir tout de suite si je réussis à la débloquer. Redescendez-moi !

Et il plonge dans le trou, au grand étonnement de Dagobert. Annie, François et Claude l'observent fixement. Arrivera-t-il à pousser le mystérieux battant ? Et que cache-t-il ?

Dès que Mick crie : « Arrêtez ! » François et Claude se cramponnent à la manivelle pour empêcher la corde de se dérouler. S'agrippant d'une main et coinçant la corde entre ses pieds, Mick se met à promener ses doigts sur la porte et à secouer la poignée. Visiblement, il n'y a pas de serrure, mais seulement un loquet. Quand Mick essaie de le forcer, la tige cède et tombe au fond du puits. La rouille l'a si bien rongé qu'une secousse a suffi pour l'arracher à la paroi.

Le garçon parvient ensuite à ébranler la porte, mais sans plus. Après de longs tâtonnements, il sent sous sa main un petit verrou qu'il réussit, difficilement, à débloquer. La porte commence à bouger.

Retrouvant espoir, Mick gratte le contour du panneau à l'aide de son couteau. Puis il choisit la lame la plus solide de son canif, l'enfonce entre le mur et la porte et appuie dessus comme sur un levier.

Enfin, le battant de fer s'ouvre lentement, péniblement, faisant entendre des grincements sonores. L'ouverture mesure environ soixante centimètres de haut et un peu moins large.

Le cœur battant, le jeune explorateur passe la tête. Il fait tellement noir qu'il ne distingue rien du tout. Il fouille dans sa poche et sort sa lampe électrique. La main tremblante d'émotion, il braque le jet de lumière dans l'ombre. Que va-t-il découvrir ?

Soudain, c'est le choc : devant lui, un visage aux yeux étincelants le fixe intensément. Mick étouffe un cri et manque de lâcher la corde. Il dirige sa torche à droite : une autre figure mena-çante apparaît. Au bout de quelques instants, il reprend ses esprits. Les deux têtes sont immobiles et brillantes comme…

« … de l'or ! » pense-t-il, ébahi.

Il promène le faisceau lumineux et découvre des dizaines de corps et de têtes d'or, aux pupilles étrangement luisantes.

« J'aurais trouvé la cachette des trésors ? Les yeux doivent être des pierres précieuses. Je me demande ce que c'est que cet endroit… »

— Mick, tu vois quelque chose ? l'interpelle François.

Ces cris le font sursauter et il manque, une nouvelle fois, de tomber.

— Hissez-moi ! s'exclame-t-il. J'ai trouvé quelque chose d'extraordinaire ! Je vous raconterai quand j'arriverai en haut.

Deux minutes plus tard, il s'assoit auprès de ses compagnons. Ses yeux brillent presque du même éclat que ceux des statues ; les paroles se bousculent sur ses lèvres.

— La porte conduit à la cachette des trésors, annonce-t-il. J'ai d'abord aperçu un visage tout jaune qui me regardait d'un air effrayant... Une tête en or ! Puis, je me suis rendu compte qu'il y avait des tas d'autres statues ! C'est bizarre qu'elles soient stockées au fond d'un puits…

— Il existe sûrement une autre entrée, remarque François, captivé.

— Si on descendait chacun notre tour pour voir ? propose Claude.

Tous approuvent et, l'un après l'autre, Claude, François et Annie vont contempler les œuvres d'art. Face aux statues qui fixent sur elle leur regard impassible, la benjamine du groupe éprouve un sentiment étrange. Elle remonte assez effrayée.

— Je sais bien qu'elles ne sont pas vivantes, murmure-t-elle, mais leurs yeux sont tellement étincelants qu'on les croirait humaines !

— En tout cas, je me demande par où on les a fait passer, déclare François, perplexe. Certainement pas par le puits, la porte en fer est trop étroite… Il faut traverser la salle où les statues sont cachées, elle s'ouvre certainement de l'autre côté.

— En chemin, on trouvera peut-être l'épée à la poignée en pierres précieuses ! s'écrie Claude. Et le lit en or !

Soudain, un bruit assourdissant s'élève derrière eux. Dago aboie à tue-tête. Que se passe-t-il ?

— Chut ! fait sa maîtresse. Arrête, tu vas alerter les gardes !

Mais, brusquement, le chien bondit dans le bois en agitant la queue.

— Il va où ? demande Claude, affolée.

93

Les enfants s'élancent à sa suite, en direction de la plage... Quand ils atteignent la crique, ils aperçoivent une barque ! Près d'elle, un garçon caresse Dago : Edmond !

— Edmond ! À qui est ce bateau ? Tu es seul ?

Le nouveau venu sourit, ravi de sa surprise. Le chien lui donne des coups de langue affectueux ; Claude est tellement stupéfaite qu'elle ne remarque même pas.

— Comme vous ne reveniez pas, je me suis douté que vous aviez eu un problème, explique Edmond. Le pêcheur m'a dit qu'il avait aperçu votre barque qui flottait, vide, au large de l'île. Alors, j'ai deviné que vous étiez coincés là-bas !

Annie est tellement soulagée qu'elle l'embrasse sur les deux joues.

— Merci ! s'écrie-t-elle. Grâce à toi, on peut quitter l'île quand on veut !

— On pourrait attendre d'avoir éclairci le mystère des statues... suggère Mick, d'un air malicieux. Figure-toi, Edmond, qu'on a découvert... Euh... Il y a quoi, dans ta poche ? Je vois une tête qui dépasse !

— C'est un petit hérisson, répond le garçon en le sortant avec précaution. Comme il s'est fait à moitié écraser, je vais m'en occuper pendant un ou deux jours.

Il remet la bête dans sa niche improvisée.

— Tu disais ? reprend-il. Vous avez trouvé quelque chose ? Pas les trésors, quand même !

— Si ! intervient Annie, surexcitée. En descendant dans un vieux puits, près du château !

— Vraiment ? lance Edmond d'un ton ahuri. Elles sont dans l'eau, alors ?

— Mais non ! répond Mick en riant.

Il raconte à son ami comment il a aperçu la porte encastrée dans le mur. Edmond écarquille les yeux.

— Heureusement que j'ai décidé de vous rejoindre ! se réjouit-il enfin. J'aurais raté tout ça... Pourtant, j'ai hésité à venir ; je me demandais si vous voudriez de moi et je pensais que Claude ne serait pas contente à cause de Dago. Je ne peux pas l'empêcher de courir vers moi et, si je le repoussais, il serait vexé...

Comprenant qu'on parle de lui, Dagobert se met à tourner autour du garçon. Il tient entre les dents une balle sortie de la poche de Claude. Il voudrait jouer avec Edmond mais celui-ci, captivé par le récit qu'il vient d'entendre, se contente de lui tapoter sur le museau.

— Il faudra nous excuser auprès du pêcheur, affirme François. On a perdu sa barque... On ne pensait pas que les vagues seraient fortes au point de l'emporter.

— Si vous m'aviez emmené, je vous l'aurais dit, réplique le petit-fils de Mme Pichon avec un sourire malicieux.

Fatigué d'attendre une réaction d'Edmond, Dago s'adresse à Claude qui accepte avec plaisir de lui lancer la balle. Le chien, ravi, saute et l'attrape. Mais au lieu d'atterrir normalement, il se roule par terre, les pattes agitées de tremblements convulsifs.

— Qu'est-ce que tu as ? hurle Claude en s'élançant vers lui.

Le chien suffoque. La frayeur se lit dans ses yeux écarquillés.

— La balle s'est enfoncée dans sa gorge ! comprend Edmond. Il faut que Dago tousse pour la faire sortir !

Claude est paralysée par l'angoisse.

— François, ordonne Edmond, ouvre sa gueule et tiens-la bien. Vite !

Comme Dago devient de plus en plus faible, il n'est pas difficile de maintenir ses mâchoires écartées. Edmond aperçoit la petite sphère. Essayant de rester calme, il introduit ses doigts au fond de la gorge du chien. Bientôt, il retire la balle !

Dagobert reprend son souffle pendant que Claude le cajole en poussant des cris de joie.

— Oh ! Dag, j'ai eu si peur !

Edmond s'élance vers la mer. Il revient vite, son mouchoir trempé à la main, et asperge le museau du chien qui, en sentant le goût du sel, fait une drôle de grimace.

— Merci, murmure Claude. Tu as fait ce qu'il fallait.

— Plus de peur que de mal ! répond Edmond en entourant de ses bras le cou de Dago qui lui lèche la figure avec reconnaissance.

Puis Dagobert se tourne et donne quelques coups de langue à Claude.

— Il dit que maintenant, il est à nous deux ! traduit-elle en souriant. Tu lui as sauvé la vie...

chapitre 9

Edmond disparaît

— J'ai faim, pas vous ? annonce Claude. Il ne reste plus de jambon. Dago en a mangé un bon morceau… mais il le méritait bien ! On a encore des bonbons, Mick ?

— Oui, j'en ai encore dix, ce qui fait deux chacun, répond son cousin, après les avoir comptés. Mon vieux Dag, tu n'en auras pas cette fois.

— J'ai oublié de vous dire, intervient Edmond en se servant, j'ai apporté des provisions. Je me doutais que vous n'y aviez pas pensé !

— Edmond, tu es génial ! s'exclame François.

Tous se dirigent vers le bateau, Dago collé aux talons du nouveau venu. Ils aperçoivent, pêle-mêle dans la barque, des tomates, une grosse miche de pain, plusieurs boîtes de sardines et de thon, des bananes, un paquet de beurre ramolli, et d'autres victuailles, toutes plus alléchantes les unes que les autres.

— Ça alors ! s'émerveille Annie, ravie. Il y a même des fourchettes et des cuillères ! Comment tu as fait pour tout transporter de la chaumière au bateau ?

— J'ai tout mis dans un sac, je l'ai balancé sur mon épaule, et en avant ! répond Edmond, très fier. Mais quand j'ai atteint la côte qui conduit à la plage, j'ai trébuché : si vous aviez vu la dégringolade des boîtes de conserve jusque sur le sable !

Tous éclatent de rire.

— Tu t'es vraiment bien débrouillé, félicite Annie d'un ton admiratif.

Edmond lui sourit, rayonnant. Il est heureux et presque un peu étonné de sa nouvelle amitié avec les Cinq. Dagobert flaire le pain en aboyant.

— Mais oui, Dago ! s'écrie Edmond. On va tous manger.

— Tu as un ouvre-boîtes ? interroge Claude.

— Zut ! Je n'y ai même pas pensé !

— Ne t'inquiète pas, le rassure Mick. Sur mon canif, il y a une lame qui permet de percer le métal.

Edmond lui lance une boîte de thon. Sous le regard attentif de ses compagnons, y compris de Dagobert, Mick choisit un petit outil, en enfonce

100

la pointe dans le couvercle que, quelques secondes après, il soulève d'un air triomphant.

— Merci à l'inventeur du canif ! s'écrie-t-il.

— Est-ce que Dago peut manger ? s'inquiète Claude. Sa gorge lui fait peut-être mal.

— Il s'en rendra bien compte lui-même, répond François. Mais tel que je le connais, rien ne l'empêchera d'engloutir ce qu'on lui donnera !

François ne se trompe pas. Quand Dago reçoit sa part de pain tartinée de thon et de sardines, il la fait disparaître aussi vite que d'habitude.

— Inutile de conserver des provisions, remarque Claude, puisqu'on peut partir dans le bateau d'Edmond dès qu'on veut.

— Tant mieux ! Je n'ai jamais aussi bien mangé, déclare Mick. Ce dîner en plein air, au bord de la mer, est parfait !

— Ouah ! confirme Dago.

— Le soleil commence à baisser dans le ciel, observe Claude. On fait quoi ? On retourne à la maison ou on passe la nuit sur l'île ?

— Pourquoi ne pas rester ? suggère François. Comme les gardes ne soupçonnent pas notre présence, on pourrait partir en exploration quand il fera noir. J'aimerais trouver des réponses à toutes les questions que je me pose. Par exemple, comment les statues emballées vont être expédiées de l'île aux Quatre-Vents ? Par un gros navire qui viendra les chercher ? Et combien de personnes sont sur cette île ? En plus des gardes armés de fusils, je pense qu'il y a d'autres hommes... Si on enquête prudemment, on n'aura plus qu'à raconter nos découvertes aux gendarmes !

Assis entre Claude et Edmond qui le caressent en même temps, Dagobert se sent le plus heureux des chiens.

— Je vais me promener, annonce soudain Edmond. Tu viens avec moi, Dago ?

Voilà un appel auquel le chien ne peut résister. Il bondit sans hésiter ; Claude le tire immédiatement en arrière.

— Non, Edmond, proteste-t-elle. Je ne tiens pas à ce que Dag coure des risques. Il ne faut pas que les gardes sachent que nous sommes ici.

— Je serai très prudent, promet Edmond. Je ne me ferai sûrement pas repérer. D'ailleurs, ils ne m'ont pas aperçu dans ma barque.

François se lève d'un mouvement brusque.

— Qu'est-ce qu'on en sait ? lance-t-il. Ils ont peut-être une longue-vue ; si ça se trouve, ils nous surveillent depuis le début...

— Impossible ! rétorque Edmond. Sinon, on serait déjà prisonniers.

Il promène autour de lui un regard satisfait.

— Bon, reprend-il, je vais faire un tour.

— Hors de question ! s'exclame François. Tu ne bougeras pas d'ici.

À contrecœur, Edmond se résigne à se rasseoir sur le sable. Le jour baisse de plus en plus. Mick songe à la nuit qui va suivre et à la façon dont ils s'y prendront pour s'introduire dans la grotte souterraine... Bercé par ces questionnements, il s'endort dans un sommeil profond. François, Claude et Annie l'imitent quelques instants plus tard.

C'est la benjamine qui ouvre l'œil la première et, d'une bourrade, réveille ses frères et sa cousine. Les Cinq se mettent à bavarder, mais au bout d'un moment, Annie se dresse et regarde tout autour.

— Mais, où est Edmond ? demande-t-elle.

Tous sont stupéfaits. Edmond a disparu !

— Il a dû s'échapper sans bruit, lance Mick d'un air furieux. Quel idiot ! Il va sûrement se faire prendre ! Heureusement, Dago est resté.

Repensant au coup de feu, Claude entoure son chien de ses bras.

— Dago ne partirait jamais sans moi, affirme-t-elle.

— Edmond nous met tous en danger... se fâche François. Les gardes devineront qu'il n'est pas venu seul. Ils pourraient même le forcer à raconter ce qu'il sait, sur nous, sur la barque...

— Que faire ? s'inquiète Annie. On essaie de le rejoindre ?

— Oui, acquiesce sa cousine. Dago suivra sa trace !

— Si on emportait quelques fruits et quelques boîtes de conserve ? propose Mick, avant de s'éloigner.

— Bonne idée, approuve François. On ne sait jamais !

Les deux frères gonflent leurs poches de provisions.

— À toi, Dag ! lance Claude.

Le chien comprend aussitôt ce qu'on attend de lui. Le nez à terre, il reconnaît l'odeur du garçon et se met à trotter.

— Il a dû partir par là ! Va, Dago, cherche Edmond !

— Écoutez ! fait soudain Annie en s'arrêtant. Écoutez !

Chacun tend l'oreille. La voix de leur ami leur parvient, terrifiée :

— Lâchez-moi, lâchez-moi !

Un homme sévère et menaçant répond alors :

— Qui es-tu ? Où sont les autres ? Tu n'es pas seul, j'en suis sûr !

— Vite, cachons-nous ! chuchote François. Il faut trouver des buissons épais.

— Inutile, réplique Mick. Ils examineront tous les fourrés. Mieux vaut grimper dans un arbre.

— Tu as raison, approuve son frère. Annie, viens avec moi, je t'aiderai à monter. Vite !

— Et Dago ? demande Claude, paniquée. Il ne peut pas escalader, lui !

— Conduis-le sous un buisson et dis-lui de rester couché, ordonne l'aîné du groupe. Il sait très bien ce que ça veut dire. Vas-y, Claude, vite !

Saisissant le chien par son collier, sa maîtresse l'amène à un fourré d'arbustes très dense. Surpris, il se retourne et écarte les feuilles avec son museau.

— Couché, Dago ! commande Claude. Couché et tranquille. Compris ?

— Ouah ! acquiesce doucement l'animal.

Sa truffe disparaît.

François hisse Annie jusqu'à la première branche d'un arbre au feuillage touffu.

— Monte aussi haut que tu peux, ordonne-t-il à voix basse. N'aie pas peur. En cas de danger, Dago nous défendra.

Annie lui retourne un sourire un peu crispé.

Perchés sur de hautes branches, les quatre compagnons écoutent la discussion qui se poursuit.

— Comment es-tu arrivé ici ? insiste l'homme.

— Sur une barque, répond Edmond.

105

— Qui est avec toi ? interroge un deuxième individu.

— Personne, je suis venu tout seul. J'aime les bêtes. Comme j'avais entendu dire que des animaux sauvages vivaient en liberté dans l'île, je voulais l'explorer.

— Arrête tes bobards !

— Si vous ne me croyez pas, regardez ce qu'il y a dans ma poche.

Il montre sans doute le petit hérisson.

— Je le soigne parce qu'il s'est fait écraser, reprend le garçon.

— Mouais… Retourne à ta barque et vite ! On a du travail ici et on n'a pas besoin de spectateurs, même un gosse qui se balade avec des bestioles dans ses poches !

Sans attendre, Edmond prend ses jambes à son cou. Il court, il court… bientôt, il est perdu. Comment retrouver les autres ? La plage ? La barque. Il aurait dû rester avec eux… De quel côté faut-il se diriger ?

Il sent la panique l'envahir. Il se met à courir entre les arbres. Si seulement Dago était avec lui. Au bout d'un moment, il s'arrête : il s'est sûrement trompé de chemin ! Il prend alors une direction différente. Non, ce n'est pas la bonne : il ne reconnaît rien !

Croyant distinguer des voix qui parlent au

loin, il s'immobilise de nouveau, l'oreille tendue. Les Cinq ? Ou seulement les murmures du vent ? Edmond se précipite vers le bruit, plein d'espoir. Mais non, ce n'est que la brise qui bruisse dans le feuillage.

Quand il arrive à la sortie des bois, Edmond aperçoit la mer. Son cœur s'allège. Une fois sur la côte, il n'aura plus qu'à la longer pour revenir à la plage et à la barque. Il est enfin sur la bonne voie ! Poussant un soupir de soulagement, il s'élance vers l'étendue bleue.

Après s'être frayé un chemin parmi les arbustes sauvages, il découvre une falaise abrupte qui tombe à pic sur le sable. S'il parvient à descendre jusqu'à cette bande étroite, il sera tiré d'affaire ! Au bord de l'escarpement, il examine les saillies rocheuses : arrivera-t-il à s'y agripper ?

Soudain, il recule, effrayé. D'où vient ce bruit étrange ? Les plaintes s'élèvent et retombent en vagues régulières. Edmond sent ses genoux trembler. Tout à coup, il comprend avec soulagement qu'il s'agit seulement du vent qui, en courant dans les falaises, provoque ces sons bizarres.

« C'est vrai, pense-t-il, le fermier nous a pourtant bien dit que cette île était surnommée "l'île-qui-gémit". Le vent fait vraiment un drôle de bruit ! »

Remis de ses émotions, il revient sur ses pas

et se penche au-dessus du vide. Une surprise l'attend.

« Tiens, il y a des gens en bas, se dit-il. Quatre hommes ! Ils font sans doute partie de la bande de l'île... Il ne faut surtout pas qu'ils me voient ! Qu'est-ce qu'ils fabriquent ? »

Allongé sur le rocher, il observe la scène. En effet, quatre individus s'affairent... puis disparaissent. Le garçon tend le cou. Où sont-ils passés ? Dans une grotte, peut-être ?

Pendant qu'il poursuit son guet, des voix affaiblies se font bientôt entendre. Deux hommes marchent sur les rochers qui bordent la plage. Ils transportent une sorte de coffre, long et profond. Probablement l'une des boîtes que les Cinq ont remarquées et où reposent les précieuses statues enveloppées de sciure !

« Alors voilà comment on les fait sortir de l'île : à travers un passage souterrain dans les falaises ; ensuite, ces types les chargeront sur une barque. Mais je ne vois pas de bateau... »

Edmond ne lâche pas du regard les hommes qui posent, l'une après l'autre, les caisses sur une grande roche plate.

« Des petites caisses, des grosses... Eh bien, ils ne perdent pas leur temps ! Je me demande ce qu'elles contiennent. Sûrement pas le lit en or : je parie qu'il est beaucoup trop grand pour pouvoir être placé dans une barque. Il faudrait d'abord le démonter ! ... Tiens ! Une autre boîte, une petite, cette fois. Ils auront besoin d'un gros navire pour embarquer une telle cargaison ! »

Comme s'il répondait à sa pensée, un navire apparaît au loin.

« Justement ! » pense Edmond.

Pourtant, le bateau n'approche pas. Et les hommes redisparaissent.

« Ils attendent sûrement la marée. Que diront François, Claude, Mick et Annie quand je leur raconterai tout ça ? Ils n'arriveront pas à me croire ! »

Il se lève prudemment, jette un dernier coup d'œil aux caisses et... sent deux mains qui le saisissent et l'immobilisent. Terrifié, il n'ose pas tourner la tête.

— Laissez-moi, laissez-moi ! crie-t-il, plein d'effroi.

En tentant de se dégager, il aperçoit une silhouette à quatre pattes qui court vers lui !

— Au secours, Dago ! Aide-moi !

chapitre 10

Des projets palpitants

Mais Dagobert s'arrête net et le regarde, langue pendante. Puis il pousse un jappement joyeux ! Edmond, sans comprendre, continue de se débattre avec rage. Mais un petit rire le fait sursauter. Il se force à regarder derrière : Mick et Annie se retiennent de pouffer ; quant à Claude, elle se tient les côtes pour ne pas s'esclaffer ! Son agresseur le libère enfin et fait éclater sa joie. C'est François !

— Très drôle ! s'indigne Edmond. Vous m'avez fait une de ces peurs ! Vous vous croyez malins ?

— Tu es allé où ? questionne l'aîné des Cinq. On t'avait dit de ne pas t'éloigner !

— Je sais, répond le pauvre Edmond. Et un type m'a fait prisonnier. Ensuite, quand il m'a

111

lâché, j'ai couru et je me suis perdu. En tout cas, j'ai découvert quelque chose de très, très intéressant pendant ma promenade !

— Quoi ? font aussitôt ses compagnons.

— D'abord, je dois m'asseoir. Je ne me sens pas bien. Quelle idée de me sauter dessus de cette façon !

— N'y pense plus, dit Annie, regrettant un peu leur plaisanterie. Et maintenant, raconte-nous ce qui t'est arrivé.

Encore tremblant, Edmond s'installe sur la pierre. Il décrit ses aventures aux Cinq qui l'écoutent avec attention.

— Alors, le deuxième accès de la salle aux trésors se trouve sur la plage, conclut François. Un chemin souterrain passe dans la falaise. Je n'y aurais jamais pensé. On devrait aller explorer ces grottes quand il n'y aura plus personne.

— Dans ce cas, il faudra attendre la nuit, observe Edmond. Les hommes de la bande resteront sûrement aux aguets, maintenant qu'ils m'ont surpris dans l'île. Ils ont peut-être deviné que je ne suis pas tout seul ici !

— Si on allait manger, pour patienter ? lance Claude. On pourrait discuter en même temps. On fera des plans pour ce soir... L'aventure devient passionnante, hein, Dago ?

— Ouah !

Pendant le repas, les jeunes explorateurs n'arrêtent pas de bavarder.

— On a une lampe électrique ? interroge François. Dehors, la pleine lune nous éclairera, mais dans les cavernes, on en aura besoin.

Chacun brandit sa torche. Edmond en a même apporté deux, toutes petites mais très puissantes.

— Comment on s'y prend ? demande Claude.

Dago jappe comme pour ajouter :

— Vite, il faut se décider !

Assis entre Claude et Edmond, il semble écouter de ses deux oreilles dressées. De temps en temps, il renifle le petit hérisson qui paraît très heureux dans la poche du garçon.

— On se rendra d'abord à la falaise, commence François, puis on la descendra. À mon avis, il doit exister une sorte de sentier ou d'escalier naturel pour arriver sur la plage puisqu'elle est entourée de rochers... Je passerai devant.

— D'accord ! s'écrient les autres avec enthousiasme.

— Il faudra se déplacer aussi silencieusement que possible, reprend l'aîné des Cinq. Essayez de ne pas faire rouler les cailloux, au cas où quelqu'un se tiendrait dans les environs. Une fois au pied de la falaise, ce sera Edmond qui nous guidera, puisqu'il a repéré l'endroit où entrent et sortent les hommes.

Edmond se sent gonflé d'importance : il va prendre part à une exploration ! Un détail lui revient en mémoire :

— Je vous préviens : le bruit du vent est effrayant. Il ressemble parfois à des gémissements.

— Oh ! Ça va ! Qui a peur du vent ? se moque Claude.

— Dago, peut-être, répond François en souriant. Claude, tiens-le : ça le rendra nerveux.

— Dag n'a peur de rien !

— Mais si, réplique aussitôt Mick. Je sais même ce qui le fait rentrer sous terre ! Quand tu le grondes, par exemple ! Il se met à trembler comme une feuille !

Tous éclatent de rire, sauf Claude, bien entendu.

— Il vaudra mieux descendre seulement à deux, dans les cavernes, poursuit François, qui reprend son sérieux. Les autres se cacheront en guettant le signal.

— Vous vous rendez compte ? murmure Annie. On va peut-être découvrir le chemin secret qui sert à faire sortir les trésors !

— Exact ! confirme Mick. On saura comment s'y prennent les hommes pour voler les œuvres d'art puis les revendre !

— Et tout ça, parce que le seau est tombé au fond du puits ! ajoute Annie.

— Il ne faudra pas oublier nos pulls, ce soir, conseille François. On risque d'être glacés par le vent qui souffle sur la falaise.

— J'ai hâte de partir ! s'exclame sa cousine. Ce sera une vraie aventure, tu entends, Dago ?

— Edmond, comme c'est toi qui connais le mieux le chemin jusqu'à la falaise, tu nous conduiras. Mais surtout : faisons attention à être discrets. Le moindre bruit alerterait nos ennemis !

— Tu entends, Dag ? fait Claude.

Le chien pose une patte sur son genou comme pour dire : « Tu peux compter sur moi. »

À partir du moment où le plan est fixé, les minutes paraissent passer avec une lenteur désespérante. Le soleil couchant embrase encore une partie du ciel : il prend bien son temps, ce soir-là, pour disparaître à l'horizon !

Quand François propose à ses compagnons des gâteaux secs, seul Dagobert accepte le sien de bon cœur. Les autres ne peuvent rien avaler ; ils attendent avec trop d'impatience le moment du départ. Claude, en particulier, s'agite, remue, ne tient pas en place.

Enfin, ils se mettent en route, Edmond en tête.

La voix puissante du vent le guide, comme la première fois.

— On croirait vraiment entendre des voix qui murmurent, observe-t-il.

Ses amis l'approuvent.

À l'approche du but, le bruit se transforme peu à peu en hurlements sinistres. Dagobert dresse les oreilles avec nervosité. Il n'aime pas ces gémissements, si lugubres qu'ils donnent des frissons. Claude le saisit par le collier et le caresse pour le rassurer. Calmé, le chien lui retourne un coup de langue reconnaissant.

Arrivés au bord de l'abîme, les enfants se penchent avec précaution, craignant d'être surpris si un garde se tient au-dessous, sur les rochers ou sur la plage. Ils ne remarquent que des mouettes ébouriffant leurs plumes.

— Il n'y a pas de barque, pas de navire, rien, constate Mick. La voie est libre !

François tente de repérer un chemin.

— Il faudra aller jusque là-bas, annonce-t-il, puis grimper un peu ; ensuite, on marchera sur cette corniche, vous la voyez ? Quand on aura descendu le gros rocher en pente, on se retrouvera sur des roches à peu près plates. D'accord ?

— Puisque Dago a le pied sûr, estime Claude, je le laisse passer devant. À toi, Dag, conduis-nous !

Dagobert bondit aussitôt dans la direction indiquée. Une fois franchie la corniche de pierre, il s'arrête et attend ses amis en poussant un jappement d'encouragement.

Les jeunes aventuriers le suivent. Edmond s'élance si vite qu'il trébuche et dévale la pente sur les fesses ! Il regarde ses compagnons d'un air ahuri.

— Attention ! réagit François. On n'a pas envie de ramasser tes morceaux en bas de la falaise.

Bientôt, les enfants arrivent sur les rochers qui longent la plage. La marée est basse, alors ils ne se font pas asperger par les vagues. Soudain, Annie glisse dans une flaque d'eau. Ses chaussures sont trempées mais elle se relève sans s'être fait mal.

— Edmond, questionne Mick en s'arrêtant. À quel endroit se trouvaient exactement les hommes que tu as vus ce matin ?

Edmond saute pour le rejoindre et tend le bras :

— Regarde la falaise, à une vingtaine de mètres. Tu vois ce drôle de rocher ? C'est de là qu'ils sortaient les caisses. Ils ont disparu derrière.

— Bon, dit François. Et maintenant, malgré le vent qui hurle, il vaut mieux se taire. En avant !

La petite troupe se dirige vers la pierre. Annie saisit la main d'Edmond :

— Ça devient de plus en plus passionnant…
murmure-t-elle.

Le garçon approuve d'un signe de tête enthousiaste. C'est vrai, cette aventure est palpitante !

Ayant contourné le rocher, les enfants remarquent un endroit sombre dans la falaise.

— Les hommes venaient de là, précise Edmond à voix basse. On entre ?

— Oui, répond François sur le même ton. Je passe d'abord, si vous voulez. Je m'arrêterai quand je n'entendrai plus le bruit du vent et de la mer. S'il n'y a rien de suspect, je sifflerai ; à ce moment, vous pourrez approcher.

— D'accord ! chuchotent les autres.

François se glisse dans l'ouverture sombre et s'immobilise. L'obscurité totale règne dans cette grotte. Il allume sa torche. Le faisceau lumineux éclaire un fossé qui monte en pente douce. De part et d'autre, une corniche de pierre surplombe le mince cours d'eau qui ruisselle à ses pieds et se jette dans la mer.

— Attendez-moi, recommande-t-il de nouveau. Je reviens !

Et il disparaît dans le tunnel.

Mick, Claude, Edmond et Annie le regardent s'enfoncer dans la pénombre. Soudain, une mouette fond sur eux et les évite de peu en poussant un cri perçant qui les fait tressaillir. Edmond manque de tomber de son rocher et se raccroche de justesse à Claude. En grondant, Dago suit d'un regard furieux l'oiseau qui s'éloigne à tire-d'aile.

Un sifflement retentit. François se trouve bientôt auprès de ses compagnons.

— Tout va bien, déclare-t-il. Je me suis avancé assez loin : on n'entend absolument rien. Le chemin est facile. Un ruisseau coule entre deux rebords rocheux sur lesquels on peut marcher. C'est très pratique ! Maintenant, plus un mot ! Dans ce tunnel, le moindre bruit est amplifié.

Quand Claude entraîne son chien, il proteste d'un faible grognement de surprise que l'écho s'empresse de répéter. Tous sursautent.

— Il faut que tu restes à côté de moi, explique sa maîtresse à voix basse. Et surtout, tais-toi ! On est en pleine aventure, Dago !

En file indienne, les jeunes explorateurs suivent le sombre passage souterrain. Que découvriront-ils au bout de ce tunnel mystérieux ? Chacun a le cœur qui bat...

Il fait très sombre dans le tunnel. Les Cinq se félicitent d'avoir emporté des torches. Les rayons lumineux dansent sur les parois de pierre et éclairent un étroit passage au milieu duquel serpente un ruisseau.

— L'eau vient probablement de la surface des falaises, remarque Mick à voix basse en marchant avec précaution sur la corniche accidentée. Faites attention : on pourrait glisser facilement sur ces rebords !

— Oh ! lâche soudain Edmond qui dérape malgré lui, et plonge un pied dans le courant glacé.

L'écho s'empare aussitôt de son « Oooh ooooh oooooh ». Annie se serre contre son frère aîné.

— Désolé d'avoir crié, s'excuse Edmond. Ça m'a échappé.

— ... chapé... pé... pé... répond l'écho.

Claude ne peut retenir un petit rire qui se répercute cinq ou six fois.

— Maintenant, on doit se taire, recommande François dans un chuchotement. J'ai l'impression qu'on arrive à une grande ouverture : je sens un courant d'air…

Ils continuent à grimper la pente raide en essayant d'éviter les éclaboussures du cours d'eau qui font entendre un joyeux clapotis et brillent à la lueur des lampes.

François se demande comment on peut transporter des caisses dans le souterrain abrupt et étroit :

« Il est peut-être assez large, pense-t-il, mais tout juste ! Surtout dans les tournants... J'espère qu'on ne va pas tomber nez à nez avec un des pilleurs ! Maintenant, j'en suis sûr, ce souffle n'est pas un simple courant d'air, mais du vent ! On devrait bientôt arriver à une sortie.

La voix étouffée d'Annie le tire de ses suppositions.

— François, on a déjà parcouru un bon bout de chemin. Est-ce qu'on ne se dirigerait pas vers le château ?

— Oui, je le crois, répond-il en s'arrêtant pour réfléchir. Ce passage conduit peut-être aux caves !

— Alors, il est possible qu'elles communiquent avec le puits ! comprend soudain Mick.

chapitre 11

Une étrange randonnée

Les jeunes explorateurs se remettent en marche dans le passage interminable qui, pourtant, grimpe beaucoup moins et s'élargit, rendant le cheminement plus facile.

— Je pense que cette partie du tunnel a été construite par des hommes, remarque François en se retournant vers ses compagnons. Regardez ces vieilles briques : elles servent à renforcer les parois.

— On a donc trouvé le passage secret qui va du château à la mer ! confirme son frère qui en oublie presque de parler à voix basse.

La découverte enthousiasme toute la petite troupe, sauf Dagobert qui ne comprend pas pour-

123

quoi ses amis s'obstinent à s'enfoncer dans cette voie obscure.

Le courant d'air froid est de plus en plus violent.

— On approche de la sortie, annonce François. Silence !

Pendant que chacun avance, Annie sent son cœur battre à toute vitesse. Où arriveront-ils ? Soudain, François se fige : une grille de fer !

Ses compagnons se pressent derrière lui. Ils aperçoivent une porte solide formée de barreaux entrecroisés. D'une main prudente, l'aîné dirige devant lui le faisceau de sa torche. Le rayon lumineux se promène sur les murs d'une petite grotte et, au fond, apparaît une porte cloutée, grande ouverte. C'est par là que le vent s'engouffre dans le souterrain.

— On dirait une cave, ou plutôt un cachot. Je me demande si la grille est verrouillée.

Quand il la secoue, elle s'ouvre facilement… comme si on venait d'huiler les gonds. Le garçon fait un pas en avant sous le souffle froid.

— Tiens ! Il y a un crampon fixé au mur, remarque Claude en examinant le crochet métallique scellé dans la pierre. On y attachait peut-être les prisonniers.

— Je me demande comment les gens pouvaient être aussi cruels, autrefois, interroge Annie d'un ton horrifié. J'espère que quelques-uns ont réussi à s'enfuir vers la mer !

— Ça m'étonnerait… réplique Mick, d'un ton sinistre.

— Mais c'est terrible ! chuchote Annie. J'ai l'impression d'entendre des plaintes. Quel endroit lugubre…

Après avoir traversé le cachot, François franchit la porte et se retrouve dans un couloir pavé. D'autres cellules s'ouvrent sur le passage étroit.

— Ce sont bien les oubliettes du château, affirme-t-il en revenant vers ses compagnons. Je suppose que les caves ne sont pas loin. On devait y stocker des provisions et du vin. Venez, continuons d'explorer les lieux. Comme on n'entend pas un bruit, il n'y a sans doute personne.

En suivant François, tous jettent un coup d'œil aux cachots humides, froids et nus où ont peut-être souffert, il y a des siècles, de pauvres prisonniers.

Arrivés au bout du couloir, les enfants aperçoivent une seconde grille, ouverte elle aussi. Une fois la porte passée, ils pénètrent dans une immense cave qu'encombrent de vieilles boîtes, des coffres vermoulus, des chaises cassées. Malgré le courant d'air, une odeur de renfermé s'en dégage.

Cinq marches conduisent le petit groupe devant une grande porte munie d'un gros verrou.

François s'attend à le trouver dur et rouillé, mais au contraire, il tourne avec souplesse.

— Il n'y a pas longtemps que quelqu'un est passé par là ! constate Mick. Il est même possible que des gens ne soient pas loin d'ici...

Annie ne se sent pas tellement rassurée.

— Si on nous a entendus, on va peut-être tomber dans un guet-apens ! Et...

— Ne t'inquiète pas, répond son frère aîné, Dago nous avertira au moindre son suspect.

Ces paroles à peine prononcées, Dagobert pousse un grondement menaçant qui fait trembler ses amis. Ils s'immobilisent en retenant leur respiration.

Mick se retourne pour observer Dago qui aboie de nouveau et qui, tête baissée, examine quelque chose sur le sol. Le garçon déplace sa torche et se met à rire.

— Tout va bien, annonce-t-il. N'ayez pas peur : regardez !

Un énorme crapaud fixe sur les intrus son regard tranquille. Puis il s'éloigne vers une tache humide, dans un renfoncement du mur.

— Je n'en ai jamais vu d'aussi gros ! murmure Annie.

Paraissant défier le pauvre Dagobert, la bête se blottit dans son coin.

— Viens, Dago ! chuchote Mick. Les crapauds ne sont pas méchants.

Pendant ce temps, François franchit la porte, en haut des marches. Un cri de surprise lui échappe. Les autres se bousculent à sa suite.

— Voilà où on est arrivés ! dit-il en éclairant le lieu obscur. Vous avez déjà admiré des merveilles comme ça ?

Les rayons de la torche de François se déplacent avec lenteur dans la salle immense. Curieux, Dagobert se précipite entre les jambes des enfants.

Quel spectacle ! En réalité, ils contemplent la pièce souterraine qu'ils ont déjà aperçue de l'ouverture située dans le puits. Annie s'extasie sur la hauteur des plafonds. Un profond silence règne.

— Ce sont les statues en or ! lance Mick en se dirigeant vers un groupe de sculptures. Incroyable ! Regardez comme leurs yeux luisent dans la lumière de ma lampe ! On dirait qu'elles sont vivantes et qu'elles nous observent.

— Regardez ! s'écrie Annie à son tour. Le lit en or !

Et, sans hésiter, elle grimpe sur le vaste lit à colonnes surmonté d'un grand baldaquin qui

tombe en lambeaux. Avec un craquement reten-
tissant, la couche cède, le dais s'effondre et la
fillette disparaît dans un nuage de poussière. Le
lit fabuleux s'est littéralement écroulé... Pauvre
Annie !

Pendant que les autres l'aident à se relever,
Dagobert éternue et éternue encore.

— La tête et les pieds sont en or sculpté,
remarque Mick. Au moins six personnes pourraient y dormir à l'aise ! Mais apparemment, il
est ici depuis longtemps : dès qu'Annie est mon-
tée, les ressorts ont craqué.

La cave contient des trésors inestimables.
Pourtant, les jeunes explorateurs ne découvrent ni
l'épée à la poignée ciselée, ni le collier de rubis.

— Venez voir ce qu'il y a dans ce beau coffre !
appelle Edmond. Des coupes, des assiettes et des
plats en or, encore propres et brillants !

— Et regardez ce que j'ai trouvé ici ! s'exclame
Claude. C'est enveloppé dans un tissu qui se
déchire dès que je le touche.

Dans une boîte d'émail, chacun admire une
série d'animaux, de forme parfaite, taillés dans
une belle pierre verte. Quand Claude les pose
sur leurs pattes, ils tiennent debout, comme du
temps où de petits princes s'en servaient pour
leurs jeux.

— Je crois qu'on appelle ça du jade vert,

128

commente François. Qu'ils sont beaux ! Ils valent sûrement une fortune... On devrait les exploser dans un musée au lieu de les laisser moisir dans cette cave !

— Cette fortune, les bandits que j'ai aperçus au bord de la mer comptent bien l'accaparer ! rappelle Edmond.

— Et les deux hommes qui descendaient le perron, dans la cour du château, ils feraient aussi partie de la bande ? demande Claude.

— Certainement, acquiesce François. On leur a probablement ordonné de garder l'île pour que personne d'autre ne connaisse la salle aux trésors.

— Alors, tu penses qu'ils sont au service de quelqu'un qui veut voler les objets d'art ? questionne pensivement Mick.

— Oui. Et je suis persuadé que les descendants du vieil homme très riche ne sont pas au courant du déménagement qui se prépare. Ils ont laissé leur château abandonné depuis si longtemps…

— C'est vrai, murmure Annie. Si je possédais une terre comme celle-là, je n'en partirais jamais.

— Dommage qu'elle ne soit pas à toi ! plaisante François en lui ébouriffant les cheveux. Maintenant, le mieux, c'est de retourner au canot. Il est extrêmement tard ! On racontera tout ce

129

qu'on sait aux gendarmes dès notre retour sur le continent !

— Allons-y ! approuvent les autres d'une même voix.

Soudain, Dagobert pousse un grognement terrible. Effrayés, les jeunes aventuriers se figent. La porte, qu'ils ont pris soin de fermer, s'ouvre lentement. Quelqu'un s'apprête à entrer dans la salle souterraine... Qui est-ce ?

— Vite, cachons-nous ! chuchote François en poussant les filles derrière un gros coffre.

Les garçons s'accroupissent à l'abri du lit en ruine. Ayant réussi à faire taire le chien, Mick tient son collier d'une main ferme. Pourvu que Dagobert ne recommence pas à aboyer !

Un homme pénètre dans la cave. Retenant leur souffle, les Cinq et Edmond reconnaissent l'un des deux individus qui surveillaient l'entrée du château. À voir son allure tranquille, il n'a pas perçu le grondement de Dago. En sifflotant, il promène autour de lui un faisceau lumineux, puis appelle d'une voix tonitruante :

— Émile, Émile !

Aucune réponse ne parvient. Il crie de nouveau. Cette fois, un bruit de pas pressés se fait entendre. Bientôt, le second individu surgit. Après avoir allumé une lampe à pétrole placée sur un coffre, il éteint sa torche.

— Tu dors sans arrêt, Émile, marmonne le premier. Tu es toujours en retard ! Tu sais pourtant que le bateau viendra cette nuit pour charger un nouveau lot de marchandises... Où est la liste ? Il faut les emballer rapidement et les transporter sur la plage. Cette petite statue fait partie de l'expédition.

Il se dirige vers un buste dont les yeux d'émeraude étincellent. Tandis que son complice déplace la sculpture vers une caisse longue et profonde, il se met à l'envelopper avec soin dans des bandes de toile.

— J'ai encore le temps d'en préparer une autre ? questionne-t-il.

— Oui. Celle-ci.

En avançant vers l'endroit indiqué, Émile passe près du coffre derrière lequel sont cachées Claude et Annie. Craignant d'être découvertes, elles se recroquevillent sur le sol. Seulement l'homme a l'œil perçant et il remarque quelque chose. Il s'arrête et scrute avec attention : un pied !

En une fraction de seconde, Émile fait le tour du coffre en allumant sa torche.

— Karl ! s'exclame-t-il d'une voix stupéfaite. Il y a quelqu'un. Viens vite !

L'autre s'élance vers son complice, qui force brutalement les filles à se relever.

— Qu'est-ce que vous faites là ?

Aussitôt, François se précipite, suivi de Mick et Edmond. Claude a beaucoup de mal à retenir Dagobert, qui aboie furieusement et tente de lui échapper. Elle redoute qu'Émile ne lui tire dessus !

— Tiens ton chien, sinon je l'abats ! hurle le bandit, en brandissant son fusil. Qui êtes-vous ? Comment êtes-vous arrivés dans cette cave ?

— On est venus dans une barque, répond François, mais la mer l'a emportée. On campe dans l'île et... euh... on a abouti ici par erreur.

— Par *erreur* ? Eh bien, c'est la plus grosse erreur de vos vies ! Vous resterez tous dans cette cave pendant un bon bout de temps ; nous, il faut qu'on termine notre travail !

— Quel travail ? questionne Mick de but en blanc.

— Ah ! Tu voudrais le savoir, hein ? réagit Karl. Cette nuit et demain, on doit s'occuper de certaines choses... Vous n'allez pas beaucoup vous amuser en attendant notre retour ! Il faudra que je parle de vous au patron. Je ne sais pas ce qu'il décidera. Il vous enfermera probablement dans cette vieille salle pendant un mois ou deux, au pain sec et à l'eau !

Dago montre les dents d'un air féroce et se débat pour se dégager des mains de sa maîtresse. Il n'a qu'un but : bondir sur l'odieux individu.

Bien qu'elle se cramponne à son collier, Claude a de plus en plus envie de le laisser sauter sur l'ennemi.

— Karl ! enchaîne Émile. Il faut partir tout de suite : sinon, on ratera le bateau. On s'occupera des gosses plus tard.

Après avoir calé sur son épaule la boîte contenant la statue, il se dirige vers la sortie. Derrière lui, Karl se retourne sans arrêt pour s'assurer que Claude ne lance pas le chien sur lui. Il claque la porte et ferme le verrou.

— Pas un mot, recommande François. Ils nous espionnent peut-être.

Les enfants restent immobiles et silencieux.

— Maintenant, c'est bon, estime François au bout de quelques minutes. Ils ont dû s'éloigner.

— Qu'est-ce qu'on va faire ? demande Mick. Imaginez si ces types nous enferment ici pour de bon ?

— Moi je sais, fait Annie. On peut facilement se sauver !

Le visage de Claude s'éclaire. Elle approuve de la tête.

— Bien sûr ! affirme-t-elle. Regardez là-haut !

— Quoi ? questionne Mick en levant les yeux. Je ne vois qu'un vieux mur de pierre ?

133

— Non, là ! réplique Annie. Au-dessus du coffre.

Un grand sourire sur le visage, Mick s'écrie :

— La petite porte en fer du puits ! D'ici, on dirait un simple trou d'aération...

— Exact ! poursuit sa sœur. Il n'y a qu'à atteindre l'ouverture, ouvrir la porte, puis remonter dans le puits... Et vive la liberté !

— Il n'y a qu'à... C'est vite dit ! observe l'aîné du groupe. On doit d'abord attraper la corde, puis grimper jusqu'en haut : ce ne sera pas facile !

— Pourvu qu'elle ne soit pas entièrement enroulée, avec le seau suspendu au crochet ! lance Annie.

— On verra bien, conclut François. De toute façon, c'est notre seule chance... Aidez-moi à pousser cet énorme coffre contre le mur. Ensuite, on placera une table dessus ; en voilà une qui paraît solide. Au travail ! On sera bientôt de l'autre côté de la porte et, si tout va bien, sur la margelle du puits. J'aimerais voir la tête de Karl et Émile quand ils découvriront que leurs prisonniers se sont volatilisés !

chapitre 12

L'évasion

Ce n'est pas simple de déplacer un coffre aussi lourd contre le mur de la cave. Les jeunes aventuriers poussent de toutes leurs forces.

— Attention de ne pas faire trop de bruit, recommande Mick, essoufflé.

Dagobert, voulant aider ses amis, n'arrête pas de sauter et d'appuyer ses pattes contre le coffre. Mick lui ordonne de se tenir tranquille :

— Tu nous gênes, Dag ! Va plutôt monter la garde à côté de la porte pour nous avertir au cas où les hommes reviendraient.

Obéissant, Dagobert court se poster à l'endroit indiqué, la tête penchée, aux aguets, tandis que les enfants poursuivent leurs efforts.

Quand la première étape est accomplie, il faut

hisser une petite table en bois massif. François grimpe sur l'énorme coffre pour l'attraper. Mais elle est si lourde que, seul, il ne parvient pas à la soulever ; Edmond le rejoint alors et, à eux deux, ils peuvent installer la solide table rectangulaire au milieu du couvercle. En se redressant, François découvre avec joie qu'il atteint facilement la porte métallique donnant sur le puits.

Il la pousse. Elle tremble un peu mais ne s'ouvre pas. Le garçon lui lance un coup de poing rageur.

— Qu'est-ce qui se passe ? interroge Claude en grimpant auprès de François. Il n'y a pourtant plus de loquet : il est tombé au fond du puits !

— Je pense que les bords de la porte sont coincés contre la maçonnerie, avance Mick. Essayez de la forcer ensemble !

Avec Annie et Edmond, il observe anxieusement son frère et sa cousine, redoutant que les bandits fassent irruption. Sous les secousses répétées, la porte cède enfin en grinçant. Au grand soulagement de tous, la corde pend à portée de la main.

— Ça y est ! lance Claude. Vite, montez sur la table.

Les trois autres escaladent le coffre à toute vitesse.

— François, décide Mick, tu montes le premier. Quand tu seras en haut, observe bien les environs pour t'assurer qu'il n'y a personne. Ensuite, Edmond, ce sera ton tour de grimper dans le puits. Tu crois que tu y arriveras ?

— Bien sûr ! Je pourrai même tourner la manivelle avec François pour hisser Annie et Claude !

— Parfait, commente Mick. Quand je serai passé, en dernier, je repousserai la porte. Tu es prêt, François ? Je t'éclaire avec ma torche.

Son frère acquiesce. Il se glisse dans l'ouverture, saisit la corde et la tire jusqu'à ce qu'elle soit complètement déroulée. Il se jette alors dans le vide et, après s'être balancé deux ou trois fois, grimpe le long de la corde. Bientôt, il s'assoit sur la margelle, hors d'haleine, mais ravi de respirer l'air frais de la nuit. Grâce à la lune, il fait clair ; François promène autour de lui un regard concentré.

— Tout va bien ! crie-t-il en se penchant. Aucun danger à l'horizon !

— À toi, Edmond, le presse Mick. Attention à ne pas tomber dans l'eau !

— Ne t'inquiète pas pour moi, réplique Edmond, piqué. Je me suis entraîné à l'école.

Agile comme un singe, il débouche dehors au bout de quelques instants.

La voix de François, étrangement répercutée

137

par l'écho, résonne de nouveau à l'entrée de la salle souterraine :

— Annie, maintenant ! On te hissera, il suffira seulement de t'agripper.

— François, fais balancer la corde ! crie-t-elle en retour. Je ne peux pas l'attraper, elle est trop loin !

Mais son frère n'arrive pas à voir au fond du trou, entièrement bouché par Annie.

— Ne te lance surtout pas avant d'avoir la corde bien en main ! recommande-t-il. Est-ce que tu la vois ? Il fait très sombre et la pile de ma lampe commence à s'user.

— Oui, je la vois ! Elle vient de taper contre mes jambes, mais je l'ai ratée. Balance-la encore ! La voilà... Je la tiens ! Je monte !

En prononçant ces mots, elle se suspend à bout de bras. Malgré son air décidé, elle ne se sent vraiment pas rassurée au-dessus de l'eau noire.

— Tirez ! crie-t-elle en s'agrippant des deux mains.

Les deux garçons la hissent. Quand elle disparaît en haut, Mick pousse un soupir de soulagement.

— À toi, Claude, enchaîne-t-il. Claude ?

Mick se retourne. Personne ! Où est-elle passée ? En deux bonds, il descend de l'échafaudage improvisé et se met à chercher sa cousine de tous côtés. Mais elle est introuvable, tout comme Dago !

— Dag ! appelle-t-il à voix basse.

Un jappement étouffé lui répond. Mick fronce les sourcils.

— Claude, tu es où ? Vite, dépêche-toi de sortir de ta cachette ! Les voleurs vont arriver d'une minute à l'autre.

La tête brune et bouclée de sa cousine surgit de derrière une commode.

— Tu sais bien que Dago ne peut pas se tenir à une corde ! réplique Claude, furieuse. Il tomberait dans l'eau et se noierait. Tant pis ! Je reste ici avec lui. Laisse-moi !

Mick la connaît assez pour savoir qu'elle ne changera pas d'avis. Mais la situation est trop dangereuse, il faut faire quelque chose. Mick se poste de nouveau sous l'ouverture et appelle :

— François ! Annie ! Claude ne veut pas laisser Dago parce qu'il ne peut pas grimper à la corde et...

Il n'a pas le temps de finir sa phrase : il a entendu s'ouvrir la porte de la salle immense. Vite, il éteint sa lampe de poche. Dagobert se met à grogner d'un ton féroce.

En distinguant le bruit du verrou, Claude, vive comme l'éclair, se cache, en entraînant Dagobert derrière un amoncellement de caisses.

— Dag, commande-t-elle, saute-leur dessus ! Fais-les tomber avant qu'ils aient le temps de te voir !

— Ouah ! fait Dago qui comprend aussitôt.

Les oreilles pointées, dressé sur ses pattes tendues, il montre les crocs.

Une lanterne à la main, un homme pénètre dans la cave et avance à grandes enjambées.

— Voici... commence-t-il.

Mais il ne peut continuer. Sous le choc imprévu d'une masse fougueuse, il lâche la lampe qui se brise, le laissant dans une obscurité totale, et tombe à la renverse en poussant des cris épouvantés. Sa tête heurte le coin d'une caisse. Il reste immobile.

— On dirait qu'il s'est assommé... murmure Mick en promenant le rayon de sa torche.

En effet, le bandit garde les yeux fermés. Claude jette un regard par la porte ouverte.

— Mick, je vais profiter de la porte ouverte pour passer par le chemin secret. Avec Dago, je me sens en sécurité.

— D'accord, mais marche vite et fais attention ! Rendez-vous dehors !

Claude et le chien disparaissent rapidement, sans le moindre bruit.

« Elle est vraiment courageuse ! pense Mick.

Maintenant, je ferais bien de sortir d'ici moi aussi. Heureusement que l'homme ne bouge pas !

Il n'a qu'à se retourner pour apercevoir, en levant la tête, une lumière qui s'allume et s'éteint comme pour lui adresser des signaux.

— François ! appelle-t-il.

— Ah ! tu es là ! répond son frère d'un ton soulagé. J'ai entendu des cris ! Il se passe quelque chose ?

— Oui, je te raconterai. Envoie-moi la corde !

Il s'apprête à s'élancer quand il entend un bruit. Il lance un coup d'œil dans la salle obscure.

Un deuxième homme entre avec précipitation.

— Alors ? Pourquoi tu n'as pas...

Quand le faisceau de sa lampe passe sur son compagnon étendu sur les dalles, il s'interrompt et pousse une exclamation. Il s'agenouille à côté de lui. À cet instant, Mick se baisse, appuie ses mains sur la table et, d'une poussée violente, la fait basculer sur le sol où elle s'abat avec fracas. Il s'agrippe déjà à la corde quand il entend le cri effrayé du bandit. Pendant que François et Edmond le hissent jusqu'en haut du puits, il se félicite de l'excellent tour qu'il vient de jouer aux voleurs.

Bientôt, assis sur la margelle, il raconte à voix

basse les événements récents. François, Annie et Edmond, ravis, s'esclaffent à chaque détail.

— Claude connaît le tunnel souterrain, remarque François. Même s'il lui arrive de se perdre, Dago la conduira. On va descendre sur les rochers pour les retrouver.

Ils se précipitent vers le bois. Pendant ce temps, Claude dévale le souterrain secret creusé dans les falaises. Dago court à côté d'elle, les oreilles dressées, guettant le moindre danger. Il n'entend rien, si ce n'est le son cristallin du petit cours d'eau qui serpente vers la mer.

Il leur arrive, deux ou trois fois, de glisser de la corniche mouillée dans l'eau glacée et Claude craint qu'en tombant de nouveau elle ne casse sa torche.

— Tiens ! D'où vient cette lumière ? fait-elle soudain, effrayée, en s'arrêtant. Regarde, Dag, comme elle brille ! C'est peut-être un des bandits qui vient vers nous !

Pourtant, Dago fait un bond en poussant un aboiement joyeux. Il reconnaît tout de suite cette lueur.

— Mais oui ! s'écrie sa maîtresse. J'avais oublié que c'était la pleine lune, cette nuit... Je me demande où sont les autres. Il faut que tu les cherches, Dago !

Le chien, qui a déjà dépisté l'odeur de ses

amis, fouette vivement l'air de sa queue. Il sait qu'ils ne sont pas loin ! Dans peu de temps, tous seront réunis.

En débouchant du tunnel, Claude et Dago sautent sur les rochers que viennent lécher les vagues scintillantes sous les rayons de la lune.

Claude pose la main sur le collier de son compagnon ; elle voit quelque chose se déplacer au loin.

— Attention, Dag ! Je crois qu'on bouge là-bas. Reste près de moi !

Mais, au contraire, le chien bondit d'un rocher à l'autre, retombant dans les flaques d'eau qui l'aspergent des pattes au museau.

— Dago ! s'exclame Claude. Dago, ici, tout de suite !

C'est alors qu'elle reconnaît ses cousins et Edmond qui avancent prudemment sur les algues glissantes. Elle soupire et agite les bras dans leur direction.

Enfin, tous se retrouvent, sains et saufs. Assis sur une plate-forme de pierre, ils se mettent à discuter avec entrain, commentant les détails de leur évasion et s'amusant de la défaite des bandits.

Soudain, une vague les éclabousse.

— La marée est en train de monter ! remarque François. Retournons dans les bois.

143

Tout en marchant, Annie ne peut réprimer un bâillement. L'aîné des Cinq consulte sa montre.

— Il est tard. Qu'est-ce que vous préférez : se reposer quelques heures sur l'île ou partir tout de suite dans la barque d'Edmond ?

— Ne restons pas ici ! tranche sa sœur. Je ne fermerais pas l'œil ; j'aurais trop peur que les bandits ne nous rattrapent.

— Je suis de ton avis, renchérit sa cousine. L'ennui, c'est que la marée monte : on ne réussira jamais à s'éloigner de la côte. Il faut camper ici.

— C'est vrai, confirme Mick. Alors, on doit monter la garde à tour de rôle. Dag nous réveillera en cas de danger.

— Bon, cède Annie.

Les jeunes aventuriers, exténués, s'arrêtent bientôt au milieu des buissons épais, à l'abri du vent, tout près de la petite plage où le bateau d'Edmond les attend. Ils ramassent des brassées de fougères qu'ils étendent sur l'herbe sèche.

— C'est confortable ! constate Claude en s'allongeant. Que je suis bien !

Trois secondes après, elle plonge dans un profond sommeil. Pelotonnés sur la couche touffue, les trois garçons l'imitent. Seule, Annie reste éveillée. Elle se sent soucieuse.

« Pourvu que les voleurs ne fouillent pas le bois à notre recherche, pense-t-elle. Ils sont certainement furieux de notre évasion et se doutent bien que, dès notre retour sur le continent, on racontera nos découvertes aux gendarmes... Ils feront leur possible pour nous empêcher de quitter l'île. Et ils savent qu'on a une barque. »

Inquiète, elle est à l'affût du moindre bruit suspect. Dagobert, qui la voit se tourner et se retourner sans cesse, se glisse près d'elle en silence pour ne pas troubler le repos de Claude. En se couchant, il lui donne un coup de langue affectueux qui semble dire :

— Allons, dors maintenant. Ne crains rien, je monte la garde.

Pourtant, elle ne s'endort pas. Et soudain, comme pour confirmer ses craintes, des murmures s'élèvent. Dago se dresse en poussant un grognement sourd.

Annie tend l'oreille. Quelques mètres plus loin, des hommes parlent d'un ton étouffé. Cherchent-ils le canot ? S'ils le découvrent, les Cinq et Edmond resteront prisonniers dans l'île aux Quatre-Vents !

Dagobert s'éloigne des buissons, puis se retourne vers la fillette.

— Viens avec moi ! paraît-il demander.

Sans bruit, Annie rejoint le chien qui se met à courir devant elle. Qu'est-ce qui se trame, encore ? Dagobert l'entraîne vers la plage d'accostage et, de nouveau, des voix se font entendre, beaucoup plus proches.

Pour trouver la barque d'Edmond, les hommes se sont contentés de longer la côte en bateau jusqu'au moment où ils ont aperçu la coque couchée sur le sable. Maintenant, sous les yeux d'Annie, ils la poussent à la mer. Malgré sa terreur, elle crie d'une voix aiguë :

— Arrêtez ! La barque est à nous !

Quant à Dago, il saute autour des hommes et aboie à tue-tête en montrant des crocs féroces. Claude et les garçons, tirés de leur sommeil par le vacarme, se lèvent d'un bond.

— C'est Dag ! s'exclame François.

Ils accourent et débouchent bientôt dans la crique. Le chien pousse des grondements sauvages et quelqu'un hurle.

« Annie ! » pense François, horrifié.

À l'instant où ils arrivent sur la plage, la benjamine des Cinq ordonne à Dago de se jeter sur les ennemis.

— Vous n'avez pas le droit de prendre notre barque ! crie-t-elle. Je vais dire à mon chien de vous mordre !

L'animal ne se fait pas prier. Les deux voleurs, effrayés par ses crocs menaçants, regagnent leur bateau avec précipitation et, à grands coups de rames, battent en retraite. Annie ramasse un caillou et les vise si bien que le projectile heurte leur embarcation.

Elle sursaute quand elle aperçoit François, Claude, Edmond et Mick qui la regardent, bouche bée.

— Je suis contente que vous soyez là, fait-elle. Avec l'aide de Dago, j'ai fait peur à ces bandits.

— Tellement que tu les as fait fuir ! s'exclame François en l'embrassant. Tu as encore sorti tes griffes de tigresse !

Très fière, elle regarde les hommes qui disparaissent hors de vue, Dagobert pousse une série d'aboiements triomphants.

— Maintenant, poursuit-elle, il est temps de rentrer à la maison. Il n'y a plus rien à manger et j'ai une faim de loup ! De toute façon, la marée s'est arrêtée de monter.

— C'est d'accord, approuve l'aîné des Cinq. D'ailleurs, tu n'es pas la seule à être affamée.

Cinq minutes plus tard, les évadés voguent sur la mer. La barque roule au rythme du « flic-floc » des rames.

Quelques minutes plus tard, ils sautent à terre et courent au commissariat. L'agent de service regarde avec étonnement cette bande d'enfants. Mais, aux premiers mots de François et de Mick, il comprend que ce n'est pas une plaisanterie et se

147

dépêche d'appeler son chef. Le brigadier écoute avec intérêt leur récit.

— C'est une affaire grave, juge-t-il en hochant la tête. Grâce à vous, cette bande de voleurs va être arrêtée. Vous allez nous accompagner là-bas.

— Réveille-toi, Annie ! chuchote François à sa sœur qui somnole sur sa chaise.

— J'ai hâte d'être dans mon lit ! soupire-t-elle.

Mais les jeunes aventuriers doivent oublier leur fatigue : ils montent dans le Zodiac des gendarmes qui, une fois sur l'île, découvrent avec stupéfaction le vieux puits, l'immense salle aux trésors, le souterrain secret.

Encerclés, les bandits doivent se rendre. Bientôt, on les pousse, hors d'haleine, dans le bateau où ils s'avouent vaincus par le Club des Cinq.

Au moment de quitter les enfants, le brigadier les félicite de leur courage et de leur intelligence.

Enfin, le lendemain, tous peuvent s'installer sur la falaise, au soleil, devant la chaumière, et profiter d'un repos bien mérité.

— Mais Edmond, s'étonne Annie. Je vois que tu as retrouvé ton pipeau !

— Oui, répond celui-ci. Tout à l'heure, j'ai

pris le seau dans la chaumière pour aller au puits et, en marchant, j'entendais un drôle de bruit. J'ai regardé : mon pipeau était au fond ! Je pense qu'il a dû tomber hier, quand j'ai tiré de l'eau !

— Tant mieux ! se réjouit Claude. Tu nous joues un morceau ?

— D'accord, accepte Edmond, ravi.

S'asseyant un peu à l'écart, il se met à souffler dans la petite flûte ; de nouveau, les notes étranges s'élèvent. Aussitôt, une pie volette au-dessus de sa tête, un lièvre accourt. Dago s'approche à son tour, se frotte contre lui, puis retourne auprès de sa maîtresse. Celle-ci passe le bras autour de son cou et lui murmure :

— Tu mérites une médaille, Dago ! Et maintenant, repose-toi. Qui sait ? … une nouvelle aventure nous attend peut-être ?

**Quel nouveau mystère
le Club des Cinq
devra-t-il résoudre ?**

**Pour le savoir,
regarde vite la page suivante !**
● ● ● ● ● ● ● ● ● ● ● ● ● ●

**Claude, Dagobert
et les autres sont prêts
à mener l'enquête**

**Dans le 21e tome de la série
le Club des Cinq,
Le Club des Cinq
en embuscade**

Catastrophe ! Une grippe très contagieuse empêche les Cinq de passer les vacances à la *Villa des Mouettes* ! À la place, ils devront rester chez le Professeur Lagarde, un savant aussi distrait que grincheux. Ça promet... Mais tout bascule quand, en pleine nuit, un voleur réussit à pénétrer dans la tour où le Professeur garde ses plans secrets. Pour démasquer le coupable, Claude décide de tendre une embuscade...

**Pour connaître la date de parution de ce tome,
inscris-toi vite à la newsletter du site :
www.bibliothequerose.com**

Retrouve toutes les aventures du Club des Cinq en Bibliotèque Rose !

1. Le Club des Cinq et le trésor de l'île

2. Le Club des Cinq et le passage secret

3. Le Club des Cinq contre-attaque

4. Le Club des Cinq en vacances

5. Le Club des Cinq en péril

6. Le Club des Cinq et le cirque de l'Étoile

7. Le Club des Cinq en randonnée

8. Le Club des Cinq pris au piège

9. Le Club des Cinq aux sports d'hiver

10. Le Club des Cinq va camper

11. Le Club des Cinq au bord de la mer

12. Le Club des Cinq et le château de Mauclerc

13. Le Club des Cinq joue et gagne

14. La locomotive du Club des Cinq

15. Enlèvement au Club des Cinq

16. Le Club des Cinq et la maison hantée

17. Le Club des Cinq et les papillons

18. Le Club des Cinq et le coffre aux merveilles

19. La boussole du Club des Cinq

20. Le Club des Cinq et le secret du vieux puits

21. Le Club des Cinq
en embuscade

22. Les Cinq sont
les plus forts

23. Les Cinq au cap
des Tempêtes

24. Les Cinq mènent
l'enquête

25. Les Cinq à la
télévision

26. Les Cinq et les
pirates du ciel

27. Les Cinq contre
le Masque Noir

28. Les Cinq et
le Galion d'or

29. Les Cinq et
la statue inca

30. Les Cinq se
mettent en quatre

31. Les Cinq et la fortune
des Saint-Maur

32. Les Cinq
et le rayon Z

33. Les Cinq vendent
la peau de l'ours

34. Les Cinq
et le portrait volé

35. Les Cinq
et le rubis d'Akbar

36. Les Cinq et le trésor
de Roquépine

Table

PAPIER À BASE DE
FIBRES CERTIFIÉES

hachette s'engage pour
l'environnement en réduisant
l'empreinte carbone de ses livres.
Celle de cet exemplaire est de :
500 g éq. CO_2
Rendez-vous sur
www.hachette-durable.fr

Photogravure Nord Compo - Villeneuve d'Ascq

Imprimé en Roumanie par G. Canale & C. S.A.
Dépôt légal : février 2010
Achevé d'imprimer : avril 2016
20.1987.5/10 – ISBN 978-2-01-201987-4
Loi n° 49956 du 16 juillet 1949
sur les publications destinées à la jeunesse

PAPIER À BASE DE
FIBRES CERTIFIÉES

[H]hachette s'engage pour
l'environnement en réduisant
l'empreinte carbone de ses livres.
Celle de cet exemplaire est de :
500 g éq. CO_2
Rendez-vous sur
www.hachette-durable.fr

Photogravure Nord Compo - Villeneuve d'Ascq

Imprimé en Roumanie par G. Canale & C. S.A.
Dépôt légal : février 2010
Achevé d'imprimer : avril 2016
20.1987.5/10 – ISBN 978-2-01-201987-4
Loi n° 49956 du 16 juillet 1949
sur les publications destinées à la jeunesse